En dan, als ik weg ben

Guido van Heulendonk

En dan, als ik weg ben

Roman

Uitgeverij De Arbeiderspers
Amsterdam · Antwerpen

Omslagontwerp: Mijke Wondergem
Omslagillustratie: © Mohamad Itani / Arcangel Images

ISBN 978 90 295 8968 0 / NUR 301

www.arbeiderspers.nl

***

I

Het was nacht, met sterren aan de hemel en een milde bries in de acacia. Helemaal zoals het hoort, als men zich een nacht voorstelt waarin een man, buiten gekomen om een plas te doen tegen de garagemuur, denkt: hiervoor is het leven uitgevonden.

De mens wil verrast worden, dacht Reinoud. Elke minuut van zijn bestaan. Desnoods door een gebochelde nar die hij speciaal met dat doel in zijn hofhouding heeft opgenomen. Of door, zoals nu, de prikkelende sensatie van een februarinacht die perfect voor een meinacht kon doorgaan, indien men er de fladderende vleermuizen en krakende kevers bij dacht.

Klimaatverandering als zotskap: dit was de eenentwintigste eeuw.

Reinoud ademde traag, licht geëxalteerd door de vijf biertjes die hij zichzelf had gepermitteerd om de avond, die zwart en doortrokken van kraaiengekras was ingevallen, gaandeweg om te buigen naar iets opwindends, iets waarvan hij het jammer vond dat hij het met niemand kon delen.

Hij voelde de zuurstof opwervelen naar zijn hoofd, en hoe de bries het zweet op zijn slapen droogde. Zijn urine trof de bakstenen met een geruststellende kracht: de jongste prostaatontsteking had geen noemenswaardige gevolgen gehad. Hij moest de straal zelfs iets schuiner richten om terugspatten te voorkomen.

Het geruis voegde zich naadloos bij dat van de acacia en van het verkeer aan de horizon, waar de gele gloed van de verkeerswisselaar van Zwijnaarde een premature dageraad leek.

Hij hoorde de stem van de dokter terug, een maand voordien, toen hij rillend van de koorts wakker was geworden met hevige plaskramp, waaraan maar niet te voldoen bleek. De dokter had een blauw rubberen handschoentje aangetrokken en Reinoud gevraagd voorover te buigen op de keukentafel. Dit wordt eventjes vervelend, zei hij, en toen was zijn vinger Reinouds anus binnengedrongen. Als om de scène enige luister bij te zetten waren op hetzelfde moment de klokken van de Martinuskerk beginnen te luiden, want het was zes uur, zondagochtend, tijd voor de vroegmis. Als er nog vroegmissen bestonden. Reinoud, de restgeur van gesneden selder in de neus, werd kreunend teruggeworpen naar zijn jeugd in de jaren vijftig, toen er elke zondagochtend wel vier missen werden gecelebreerd in de kleine kerk van het dorp waar hij woonde, en hij had zich opeens eenzaam gevoeld, zo eenzaam dat hij bijna dankbaar was voor het folterend gewoel in zijn onderbuik.

'Heeft u ook pijn tijdens de zaadlozing?' vroeg de dokter.

'Enkel als ik lach,' had hij gezegd.

Maar nu voelde hij zich goed.

Reinoud ritste zijn broek dicht en keek naar de maan, die geel en groot en goedkeurend boven de bomen hing en op een wolk klom en langs de hemel begon te rijden. Ze leek nóg groter te worden – een kosmisch spermatozoön op weg naar de aarde, de zweepstaart onzichtbaar pulserend *on the dark side*.

Hij dacht aan zijn jongste zaadlozing in de Orinoco. Probeerde zich te herinneren of het kwakje dat toen zijn lichaam verliet evenveel verlichting had verschaft als hij nu voelde, of eerder, zoals vaker in die omstandigheden, een mix van gêne, schuld en diepe ontheemdheid. *Post coitum omne animal triste*? Zeker wanneer de vereniging de afwikkeling betrof van een vooraf per telefoon gesloten deal met iemand die esthetisch noch intellectueel veel reden tot opwinding had geboden. Toch had hij genoten. Coïtaal plezier: een *default setting* op deze rond voortplanting georganiseerde planeet. Zo had Darwin het gewild, en de logica ervan was onweerlegbaar. Elke marketeer die nakomelingschap wou promoten, zou op het idee van het orgasme gekomen zijn, dus waarom de evolutie niet?

Wanneer was dat gebeurd, vroeg Reinoud zich af, terwijl hij terug naar binnen ging. Waar situeerde zich het ancestrale moment dat een of andere levensvorm, ondefinieerbaar ver van hem verwijderd in tijd, uitzicht en ruimte, opeens een climax kreeg aangeboden als bonus voor het instandhouden van de soort? Hij probeerde zich de mutatie voor te stellen: de allereerste genotskreet, de oerkreun. De reactie bij het verbaasde subject in kwestie: Wauw! Nog een keer!

En zo was de bal aan het rollen gegaan. Zo was het brein ontstaan dat ook zijn schedelpan vulde: de eeuwig bronstige, knetterende kronkelpot die het leven herleidt tot een voortdurende doorstart naar de volgende beurt, met slechts één objectief: de vorige te overtreffen.

Hij nam zijn smartphone, startte Star Walk, hief het toestel omhoog. Hij draaide, bleef hangen bij de Grote Beer. Omvatte drieënnegentig sterren, zag hij. Een ervan heette Thalita Borealis, wat hij een fantastische naam vond. Een gedichtje, van zeven plus acht letters.

Binnen schoof Reinoud weer voor zijn computer.

De cursor zocht Afbeeldingen.

Hij klikte lukraak: PORTUGAL, SEPT 2003.

Marianne en hij bij de Torre de Belém, Marianne op een terras bij de Taag, lachend achter een geheven glas port, Marianne tussen volksdansers in Muriando de Douro. Hij bekeek haar gezicht. Trachtte de schaduw van de dood te zien, die toen al om de hoek moest hebben geloerd. Die donkere, spitse vlek in haar nek: was dat de punt van de zeis? Nog geen jaar later had hij in het mortuarium van een Brussels ziekenhuis gestaan, datzelfde lichaam bekijkend waarvan hij elke centimeter huid herkende, met een scherpte die, ondanks zijn verzet, een armada van synesthesieën liet aanzeilen. Alsof hij haar weer rook, smaakte, hoorde tijdens ontelbare fysieke contacten op ontelbare plaatsen over de hele wereld, ondanks de lichte geur van – was het formol? Hij kende dat product niet. Maar daar was hij van uitgegaan: dat hij formol rook.

Later, in het kamertje bij de ingang, hadden Mariannes ouders hem aangekeken. Hij ontweek hun rode ogen, de absurde hoop die erin opflakkerde. Alsof er één kans bestond dat hij zou zeggen: ze was het niet, ze hebben zich vergist.

Ze hadden zich niet vergist.

Reinoud sloot Afbeeldingen.

Hij keek naar de muur, waar Marianne onder de dromenvanger hing. Een veel oudere foto (begin jaren zeventig, nog niet getrouwd), toen ze haar zwarte lokken samenhield met een diadeem. Ze keek hem aan, met diezelfde glimlach van Lissabon, maar jongensachtiger, uitdagender. Boven haar hoofd, glinsterend van zon, hing een dicht bebladerde tak van de kersenboom in de voortuin van haar ouders. Naast haar wang, rood als robijnen, twee kersen die aan samengegroeide steeltjes om haar oorschelp waren gedrapeerd.

Licht afstaande oren.

Reinoud rook de hitte van lang vervlogen zomers, hoorde gebrom van driftige hommels. Zag klaverbloesem. Proefde zweet.

Hij bedacht dat hij Willy en Carla nog amper bezocht. Niet meer, eigenlijk. Hoe lang was het geleden? Ze woonden nu in een home, ergens tegen de Bijloke. Hij wist niet eens de naam. Alsof dat ertoe deed. Avondzegen, Schemerbloemen – het was overal dezelfde flauwekul.

Zijn eigen ouders waren allang dood.

Hij schonk zich nog een biertje in.

2

Ze kon niet zeggen dat ze iets met McCartney had, en nog minder met de Beatles. De Beatles waren een geluid uit haar kindertijd, vooral te horen als haar ouders bezoek hadden, na het dessert, wanneer de likeurflessen op tafel verschenen en haar vader zijn gitaar greep om mee te tokkelen op 'Let It Be' of 'The Long and Winding Road', tot al dan niet gespeelde bewondering van de gasten, tot ongeveinsde wanhoop van haar moeder. Puberen had voor haar, naast de obligate 'problematisering van het ouderschap' (term uit haar eigen syllabus), ook het groeiende besef betekend dat haar vader, in tegenstelling tot wat ze altijd had geloofd en aan vriendinnetjes verkondigd, absoluut geen stem had en op de gitaar niet meer voorstelde dan een akela bij een kampvuur.

Waarom ze dan het YouTube-filmpje aanklikte, viel niet echt te verklaren.

Het was een gure dag, te nat voor een wandeling, te loom voor zelfs een boek, te vroeg voor de dagelijkse Skype-sessie met Jonathan, die in San Francisco een gastcursus psychometrische analyse gaf. De wind floot tegen de ruiten. Een perfecte middag om haar studio, waar het patina van twee weken lichte verwaarlozing overheen hing, een beurt te geven. Of om papers te corrigeren. Ze had besloten tot het laatste. Maar toen de eerste op haar computerscherm stond, en ze de openingsparagraaf probeerde te verteren ('Ergens is bevraging in hoofde van de depressieve patiënt enkel maar een schijnmotief naar wetenschappelijkheid toe'), klapte haar maag dicht. Ze zuchtte, sloot de ogen. Jonathan wrong zich in haar gedachten en nog maar eens was ze zich ervan bewust geworden hoezeer ze hem miste. Nu al. Zijn verstand, zijn rust. Zijn lach, zijn babbel, zijn pandabeergezicht. De huls van zijn naakte, gerijpte lijf, warm om haar heen, en geurend naar tuinaarde, zelfs wanneer het onder de douche vandaan kwam. De herinnering wekte, tot haar eigen schrik, mieren tussen haar dijen en onwillekeurig zocht haar blik de ladekast, waarin – weggemoffeld tussen tafelkleedjes – de vibrator lag die hij haar had geschonken bij zijn vertrek. Voor als de goesting te erg wordt, had hij gemonkeld. Maar, juffrouwtje, alleen met mijn foto erbij! Geen Clooney & Co! Hij had het pak voor haar opengemaakt, en toen het cellofaan scheurde (een maagdenvlies, had ze gedacht) en het paarse ding in haar handen viel, was ze rood geworden.

'Dit is mijn lichaam,' zei hij.

'Dank je.'

De grap had haar zowel doen lachen als gechoqueerd. Ze had niet opgekeken. Als een non die de hostie ontvangt, zo had ze daar gestaan. Met 'geloken ogen'. De uitdrukking was, van heel ver, aan komen waaien. Uit de Beatles-tijd, waarin niet alleen de discotheek van haar vader, maar ook de stichtelijke boekjes van zuster Rebecca, groottante van moederszijde en dominicanes in een ver Hollands klooster, tot de pijlers van haar opvoeding behoorden.

'Hier, de handleiding,' zei Jonathan.

Het woord leek er een betekenis bij te hebben gekregen. Ze vouwde het papier werktuiglijk open, las de eerste regels: waarschuwingen tegen elektrische accidenten. Ze dacht aan slecht volkstheater: springende zekeringen op het *moment suprême*.

'En twee jaar garantie.'

'Mooi.'

Ze had even geprobeerd zich voor te stellen dat ze de vibrator ergens, in een winkel waarvan ze absoluut geen idee had waar die zich zou moeten bevinden of hoe die eruit zou zien, afleverde met een technische klacht. Of in een pakketje naar de post bracht.

En toen hadden ze voor het laatst het bed gedeeld en was Jonathan vertrokken, voor vier lange maanden.

Ze klikte de paper weg, staarde door het venster. Meeuwen op ooghoogte, met brutale tronies naar binnen glurend, en diep onder hun witte lijven de zee, zo mistig en grijs dat niet uit te maken viel waar het water ophield en – ginder ver, richting Engeland – de hemel begon. Op het strand enkele moedige wandelaars, kaboutergroot, met minihonden en steigerende paraplu's. Aan de voet van de pier een ruiter, zijn paard tot de knieën in de branding dwingend. Het wit van schuim, meanderend langs de hele waterlijn.

Halfdrie. Ze stond op, dwaalde rond, verlegde een boek, zette thee. Bekeek Jonathans foto, die – het kon niet anders – op de ladekast stond. Zijn blik tuurde in kalme verstandhouding boven zijn lichte oogwallen uit. Wij weten wat zich hieronder bevindt, zei die blik. En ik ben de bewaker. *Trust me, kiddo.*

Ze had de vibrator nog geen enkele keer gebruikt.

Maar dat hij er was, stelde haar op een of andere manier gerust. Zijn aanwezigheid was een essentieel onderdeel geworden van haar thuisgevoel. Bovendien hield hij de studio onder constante spanning. Alsof in die lade een geheime krachtbron zat, een radioactieve staaf die, clandestien en geruisloos, maar niet zonder risico, in al haar energiebehoeftes voorzag.

Met een dampende kop thee schoof ze weer voor haar computer en opende – geleid door God weet welke impuls – YouTube. 'Love,' tikte ze in het zoekvenster. Ze zag het woord verschijnen, verbaasd, alsof er geen verband was tussen die vier letters en de actie van haar vingers. You-Tube bood *love songs* aan. Ze aanvaardde. 'Silly Love Songs' – oké, doe maar. En toen: 'All My Loving.'

Paul McCartney.

Haar vaders stem achter de horizon: '*Close your eyes...*' Met zijn Vlaamse rolpunt-r.

Ze klikte.

3

Ze stonden als 'Thaïs' en 'Tonia' netjes na elkaar in zijn lijst van contacten. Zo hadden het alfabet en zijn Samsung het gewild.

Thaïs was zijn tandarts, Tonia zijn minnares. In deze verschillende hoedanigheid bezorgden beiden hem, bij momenten, hetzelfde soort sensatie, maar Thaïs bood het pluspunt dat ze een spuitje toediende voor ze aan het boren ging. Bij Tonia was het uitzweten geblazen. Ware het niet voor de vele gunsten, zowel in geld als in natura, die ze elke dag weer over hem liet neerdalen, hij zou Tonia misschien allang hebben bijgezet in de catacombe van zijn voorbije liefdes. Maar een precaire budgettaire toestand liet dat voorlopig niet toe. Vandaar dat Angelo, toen hij die zaterdag na een knetterend meningsverschil over Mahler was weggestormd en in de Je t' Aime Moi Non Plus rillend op adem kwam bij een Dalwhinnie, niet lang hoefde na te denken over de vraag of hij al dan niet een idioot was. Hij wás een idioot. Om te beginnen liepen alleen idioten weg in hun hemd wanneer het buiten nauwelijks vijf graden was. Ten tweede bestelden ze geen drankjes waarvan hun contanten noch hun kredietteg oed zouden toelaten dat er meer dan drie geconsumeerd werden. Maar wat idioten hun naam pas echt waardig maakte, was het feit dat zij zich nooit, of veel te laat, realiseerden dat weglopen slechts twee opties openliet: wegblijven of terugkeren. De eerste optie impliceerde een hoge graad van autonomie. Emotioneel kon hij die probleemloos leveren. Zijn omgang met het andere geslacht had zich doorgaans voltrokken volgens het Angelsaksische principe van de vier f'en: *find them, feel them, fuck them, forget them.* En hoewel het derde stadium bij Tonia wat langer was uitgelopen dan gewoonlijk, zag hij geen fundamenteel probleem in een acute overstap naar stadium vier. Zeker niet op dit moment, nu een tweede Dalwhinnie de bibber langzaam maar zeker van tussen zijn schouders verdreef. Als het echter op het naakte bestaan aankwam, was hij even autonoom als een walviskalf. Liquide middelen: nihil. Transportmogelijkheden: nihil, sedert de total loss van zijn fiesta tegen een beschermde iep in Schoten. Huisvesting: zijn vroegere studentenkot in de Van Breestraat, dat zijn voogd had aangeschaft en dat hij nog altijd afbetaalde, intussen proberend het kamertje-annex-keuken te upgraden tot appartement, wat niet opschoot wegens de nihil-toestand van zijn liquide middelen, en omdat hij, nu eens residerend op Tonia's loft, dan weer in haar Edegemse villa, geen enkele urgentie ondervond om het project aan de gang te houden. Carrièreplanning: zeer labiel, na zijn recente kastekort bij DiscountShop Bravo, waarvan hij nog altijd geen idee had hoe zo'n manco van 500 euro tot stand had kunnen komen. Iemand moest in zijn lade hebben gegraaid op een moment dat hij niet keek. In elk geval was hem door de chef duidelijk gemaakt dat zijn vooruitzichten op promotie er niet rooskleuriger op waren geworden.

Toen de derde Dalwhinnie voor hem stond, was Angelo's besluit dan ook genomen. Hij nam zijn mobieltje en stelde een sms naar Tonia samen.

Hou van je, sorry!

Hij herlas, voegde een tweede hou-van-je toe: *Hou van je, hou van je, sorry!* Hij keek nog eens, verving het uitroepteken door drie puntjes, wat hem minder hysterisch leek – suggestiever ook, in die zin dat er lichte depressiviteit, zelfs melancholie uit opsteeg, een zeker parfum van help-mij-aub, wat ongetwijfeld zou appelleren aan haar moedergevoelens. *Hou van je, hou van je, sorry...* Tonia was de dag voordien vijftig geworden, wat haar exact tweemaal zo oud maakte als hij. Bij de roze Laurent Perrier, door hem gekocht met haar MasterCard, had ze zich over deze wiskunde verbaasd, vooral omdat de verdubbeling zich niet doorzette in de volgende jaargangen: als zij 51 werd, sprak ze, zou hij 26 zijn, bij 52 hij 27, bij 53 hij 28. Nooit zou zo'n 'leuke' breuk van 2x/x zich nog eens voordoen. Hij had niet goed geweten hoe te repliceren, ook al omdat haar getallenreeks opeens een toekomstbeeld opriep dat hem een beetje de adem afsneed: het klonk alsof hun leeftijden, en dus zijzelf, tot in het oneindige gepaard zouden blijven. 'Dat komt doordat je 25 jaar ouder bent, schat,' had hij gezegd, met het gevoel dat hij onthulde dat je van regen nat werd. 'Dit zal ten eeuwigen dage zo blijven. Dus wanneer ik, wat zal ik zeggen, 60 word, zul jij 85 zijn, en – prijs je gelukkig – niet 120.' Zijn voorbeeld had hem nog meer verontrust: de cijfers roken nu bepaald naar bederf en ontbinding. 'Hmm,' had Tonia gemompeld, alsof ze dat eerst nog eens moest bekijken, en ze was olijfjes gaan halen. Niet veel later had hij zich gelaafd aan haar blanke boezem, die hij regelmatig met Laurent Perrier besprenkelde, zoals een chef braadvocht lepelt over zijn garende kalkoen. Tonia had het knorrend ondergaan, samen met de olijf die hij uit haar navel at, blijkbaar verlost van getallenkundige muizenissen.

Hou van je, hou van je, sorry...

Angelo herlas een laatste keer, nam een slok, verdreef aanzwellende echo's van het voorbije twistgesprek ('Mahler is een zaag!'), drukte op Verzenden. Het kleine scherm vulde zich met mogelijke bestemmingen. Speculerend wanneer hij Tonia om (een lening voor) een Galaxy S II zou kunnen vragen, scrolde hij tot bij haar naam. Net voor die in het blauwe rechthoekje verscheen, sprong 'Thaïs' voorbij. Thaïs – beginnend tandarts, blond, blauwogig, en met wat goede wil, die hij altijd bereid was te tonen, een Scarlett Johansson-type. Ze was rond nieuwjaar in zijn contactenlijst beland, toen ze dringend naar het ziekenhuis was gesommeerd en onderweg hun afspraak had afgebeld, met veel excuses. Hij herinnerde zich zijn verrassing haar aan de lijn te krijgen. Haar stem, een sonore alt (hij had verstand van stemcategorieën) die hij tot dan hoofdzakelijk kende als een licht omfloerst geluid dat achter haar witte masker geruststellend commentaar verstrekte bij het gebeitel, gekraak en gegorgel in zijn opengerekte mond, had totaal anders geklonken: opgewonden, of toch licht geagiteerd, wat door het gezoem van haar auto op de achtergrond nog meer in de verf kwam te staan. Het had hem op een vreemde manier gecharmeerd, ontroerd zelfs: alsof hij haar, in normale omstandigheden zijn meesteres, betrapte op een onbewaakt, gedwongen moment van nederigheid – bij het stiften van haar lippen, of het opwaaien van haar jurk boven een ventilatierooster. Ook, na afsluiten van hun gesprek, had hij zich even voorgesteld dat een gemotoriseerde politieagent haar inhaalde en met een dwingende, in zwart leer gestoken vinger naar de pechstrook verwees, waar ze haar raampje moest opendraaien en te horen kreeg dat telefoneren aan het stuur een inbreuk was op artikel zoveel van de wegcode, jongedame, en of ze haar rijbewijs even wou overhandigen. En dan wist Thaïs weg te komen met een verhaal over hoogdringendheid, én de smekende blik in die blauwe ogen. Angelo zag het zo voor zich: een beduusde agent die, wijsvinger nog aan de helm, met licht versnelde hartslag en ongeloof over de eigen beslissing de optrekkende auto nastaart.

Aan de andere kant van de bar werd gelachen.

De deur naar de toiletten klapte dicht.

Angelo dacht: stel dat ik me vergiste. Dat ik fout scrolde en te vroeg op OK drukte. Dat mijn bericht bij Thaïs terechtkwam. *Hou van je, hou van je, sorry...* Zulke dingen gebeurden, soms met dramatische gevolgen. Zijn voogd, een boekhouder en amateurschilder (conceptueel, volgens hemzelf), had ooit foto's van zijn werk doorgefaxt naar een bioboerderij in plaats van de galeriehouder die hij wou lijmen. Eén cijfertje verkeerd, en pats: van genie naar dorpsgek. Angelo herinnerde zich een grapje op een familiedrink: 'Oom Neel, compostueel.'

Met de snelheid van de huidige technologie was het risico nog veel groter. Hoeveel e-mails flitsten dagelijks naar de verkeerde box? Hoeveel tweets? Hoeveel duimen, normaal geproportioneerd, strompelden telkens opnieuw over toetsenborden? Hoe moesten spatelvingers als de zijne dan het pizzicato op gsm-knopjes foutloos blijven bolwerken?

Angelo dronk weer, er zorg voor dragend dat hij voldoende Dalwhinnie overliet voor nog één, laatste slok. Hij keek andermaal naar de naam op zijn scherm. Zag er de persoon bij, en – als iemand met een omgekeerde bijnadoodervaring – een plotse film die in enkele seconden zijn toekomst aan de zijde van Tonia uitrolde tot voor de poorten van alzheimer. Tonia, aan wie hij zoveel te danken had. Tonia, de rijke weduwe, opgepikt toen hij nog pizza's aan huis bestelde. Tonia, die high werd van zijn calabrese, hoewel ze soms durfde te klagen over de versheid van de mozzarella. Tonia, die hem had opgevangen in zijn losgeslagenheid na Marloes. Wat hij eigenlijk wel waardeerde, en, godjezus, waarom hij haar ook wel een beetje *lief had gekregen*, als men dit dan toch zo in de notulen wou. Dus die vierde f – dat mocht best nog even wachten. En de derde viel absoluut mee. Tonia had het lichaam van een Etruskische moedergodin. De derde f met Tonia was een carno-sacraal feest van oeroud genot, gezwelg in gerijpte vrouwelijkheid, met als kers op de taart de prikkel van het oedipale zondebesef, het bewustzijn dat hun vereniging zowel door het leeftijdsverschil als door zijn materiële afhankelijkheid voor de buitenstaander niet anders kon dan foute associaties oproepen.

Tonia's brains?

Moeders hoefden geen Einstein te zijn. Liefst niet. Hersens stonden onvoorwaardelijkheid in de weg, en als er iets was wat hij apprecieerde in Tonia, dan was het haar onvoorwaardelijkheid in ongeveer alles: engagement, gulheid, levenshonger, bereidheid hem te omarmen, desnoods per notariële akte te laten vaststellen hoe gelukkig hij, Angelo, haar wel maakte, dankzij de tweede jeugd die hij haar schonk. Angelo was het beste wat haar ooit overkomen was, snikte ze eens. Ten bewijze waarvan ze de foto van Willem – haar overleden echtgenoot, die vanaf een antieke scheepskoffer glimlachend toekeek telkens wanneer Angelo Tonia langzaam uit de kleren wikkelde en op bed liet rollen, waarna kale Willem, altijd maar glimlachend, als een bleke maan onder de kim van de beddenrand verdween en zich zo de aanblik van Tonia's herwonnen libido bespaarde (*ontgonnen* libido, zei Tonia, want met Willem had ze nooit, nooit... Nou ja, ze wou maar zeggen dat Willem haar de twintig jaar van hun huwelijk constant in een gouden cocon opgesloten had gehouden) – ten bewijze waarvan ze die kofferfoto dus van de slaapkamer naar de keuken had verhuisd. Dat Tonia even onvoorwaardelijk was in haar naïviteit, in het irritante nietbesef van haar soortelijke lichtheid als het op cultureel-wetenschappelijk kapitaal aankwam, mocht hij haar dan ook niet kwalijk nemen, hoewel hij moest bekennen dat hij dat soms wel deed. Bijvoorbeeld wanneer ze al tijdens de eerste beluistering Mahler een zaag noemde, ondanks het feit dat hij *Das Lied von der Erde*, weliswaar met haar MasterCard, speciaal voor haar verjaardag gekocht had, met oprechte educatieve bedoelingen, gehoor gevend aan een oprechte, belangeloze nood om Tonia bij te staan bij die reusachtige inhaalbeweging die zij, wie de flardjes en velletjes van Willems cocon nog altijd om de huid hingen, op haar vijftigste dringend zou moeten inzetten, wilde ze ooit werkelijk aan de eenentwintigste eeuw beginnen.

Dus Tonia's brains: neen, moeders hoefden geen Einstein te zijn. Maar ook voor hen kon het geen kwaad te weten dat lichtjaren niet wisselden op 1 januari.

Hou van je, hou van je, sorry...

Stel dat zijn bericht per vergissing naar Thaïs vertrok?

Wat in feite niet meer kon, nu hij op een dergelijke vergissing aan het anticiperen was.

Spijt bekroop hem. Ergernis over zijn eigen voorzienigheid, die hem de kans op een belangrijke misstap door de neus had geboord.

Een koffiemachine ging aan het sputteren.

Voor het raam viel tram 24 stil.

Angelo zag zijn dikke duim, waarvan de nagel hem soms aan een schoffel deed denken, in actie komen. Zich naar OK bewegen, terwijl de naam Thaïs nog op het schermpje stond. Als om hem te pesten. Als was die duim een kind dat de vinger uitdagend op het verboden koekje legt.

Er ging een lichte rilling door hem heen.

Het whiskyglas bevroor in zijn hand.

'Fuck!' zei hij.

Zijn hart struikelde.

'Fuck!!'

Aan de tafel naast hem keek een man op van zijn krant.

Angelo sloeg de rest van de Dalwhinnie achterover.

4

'All My Loving', Back in the US-tour van 2002, upload 2006.

Een amfitheater uitzinnige fans, van alle leeftijden, maar toch vooral dertigers en veertigers, die ook gendermatig een gezonde mix vormen. Allemaal aangepast, verzorgd naar lijf en leden, het soort mensen dat je zonder problemen op je eigen bruiloft uitnodigt. Mooi, fris, gezond, geen tattoos, geen piercings, geen witte doodshoofden op zwart leer. Dansend, springend, zingend, sommigen met kinderen naast zich of in de nek. En allemaal gevat in dezelfde tover, dezelfde roes, hetzelfde decorumverlies, dezelfde bereidheid om elk geluid en elke beweging van de halfgod op het podium te zien als een voor hen persoonlijk bestemde invitatie naar het Walhalla. Het soort aanstekelijke en massale extase dat je doet denken: waarom was ík daar niet? Wat was er in godsnaam weer zo belangrijk dat ik dit heb laten passeren? Waarom had niemand me verteld dat zo'n collectieve hemelvaart zou plaatsgrijpen? De halfgod zelf geniet ook, op een argeloze manier die zijn zo al merkwaardig jongensachtige verschijning nog meer doet contrasteren met de wetenschap die zich dadelijk in het achterhoofd nestelt: dat deze rockende koorknaap, met zijn baardloze babyface, zijn nette kapsel en nette outfit (alsof hij na het concert nog naar oma moet), dateert van Wereldoorlog II. Dat wist ze van haar vader: Liverpool, 1942. De Paul McCartney daar op haar scherm is zestig.

Wat een aanfluiting van de tijd, van de biologie, van de evolutieleer. Invriezen, die genen van hem, onmiddellijk, als onsterfelijkheid dan toch nog altijd de grootste droom van de Homo sapiens is. Zie wat een optimisme, wat een vreugde, wat een overschot van leven, wat een revolte tegen de weeë wiskunde van de aantikkende jaren. Opslaan, deze beelden, onderdeel maken van een receptieve muziektherapeutische strategie, en dan eens zien of de depressieve patiënt nog altijd bevraagd moet worden, zeker als het gaat om een schijnmotief naar wetenschappelijkheid toe.

Dat zat ze te denken, terwijl haar voet mee begon te veren op het ritme van het lied en ze het volume naar maximum schoof. Dat dit filmpje maar eens een thema moest worden voor een paper.

Younes, haar ex, kwam in haar hoofd: bioloog, grote verdediger van gentechnologie als hefboom naar een betere wereld. Maar die gedachte verdreef ze.

Een uitlating van haar vader: dat hij McCartney dolgraag een keertje de hand zou schudden, alleen om hem te bedanken voor al die uren genot, die vreugde en zaligheid – 'GELUK, Noortje!' – die de Beatle aan zijn leven had toegevoegd.

Ze dacht aan haar naam, Eleonora, uit een liedje van dat oorlogskind geplukt.

Ze dacht: gelukkig was pa niet van de Lennon-kant. Stel je voor dat ze als Prudence door het leven had moeten gaan. Of Lucy. Nee, dan Eleonora. Heilige van al de eenzame mensen.

De wind floot. Meer beelden van freakend publiek, armen in de lucht, boezems op drift – taferelen die zich spiegelen in de videowand achter het podium, waar een zwart-witmontage loopt van de *mania* uit de jaren zestig. Zowel daar als in de zaal: geluidloze Edvard Munch-gezichten, een wanhopig 'Paul!' in de gesperde mond.

En dan – de gitaarsolo is net gedaan en McCartney herneemt: '*Close your eyes and I'll kiss you...*' – snijdt de camera naar een man in het publiek. Een dertiger of veertiger, met onopvallend gezicht en een ringbaard: het soort pratende kut (Jonathans woorden) dat Jonathan zelf cultiveerde toen ze hem leerde kennen, maar later afschoor, omdat zij het lelijk vond. Terwijl ze niets had gevraagd, de schat. '*Close your eyes...*' Alsof hij McCartney gehoorzaamt, doet de man effectief zijn ogen dicht. Hij opent ze weer bij '*Tomorrow I'll miss you*', kijkt even naast zich als om te checken of er iemand op hem let, en barst in tranen uit. Of toch bijna. Vlug legt hij een camouflerende hand over zijn onderste gezichtshelft, en maakt een masserende beweging naar de kin, in een manmoedige poging alles weer in de plooi te krijgen. Tegen het '*Remember I'll always be true*' is dat hem gelukt. Hij laat zijn hand zakken in een strijkend gebaar, alsof hij de laatste emotie van zijn kaken veegt. Zijn ogen zijn weer naar het podium gericht. Het scherm deelt zich op in een kruisraster; de man staat nog eventjes in het linkerbodemvierkant, onder een door fans bestormde Beatles-limousine, verdwijnt dan, lichtjes bijtend op zijn onderlip.

Ze keek het filmpje uit, in de hoop dat hij nog eens terug zou komen, gezocht door een camera die, even nieuwsgierig als zij, wou checken of hij nog altijd oké was.

Maar dat gebeurde niet. McCartney sloot af, nam de ovatie in ontvangst met een overwinningsgebaar, bevroor in de eindstill, terwijl hij zijn vioolbas over het hoofd tilde.

Ze dronk van haar thee.

Buiten was het landschap niet veranderd: grijsheid, meeuwen, wandelaars. Ook de ruiter was er nog, leek nauwelijks van zijn plaats gekomen, alsof hij tegen een reusachtige stroming optornde die hem gevangen hield in de machteloosheid van kwade dromen, wanneer men, totaal verlamd, er niet in slaagt te vluchten voor een achtervolger zonder gezicht.

Ze stond op, pakte een tijdschrift, liet zich neer op de bank.

Maar lezen lukte niet.

Ze vroeg zich af wat haar bezielde. Waarom trilde het filmpje zo in haar na? Iemand krijgt het moeilijk tijdens een liedje. In het duister van het midlife-woud. En dan?

Ze ging weer voor haar computer zitten, startte YouTube, 'All My Loving', zocht met haar muis de tijdbalk af, tot ze de man terugvond. 1:17. Ze klikte, keek opnieuw gefascineerd naar het gevecht. De ogen, de grimas, de hand die de huilkramp de pas afsneed. '*Remember I'll always be true.*' 1:27, zei de teller, toen de pokerface zich herstelde. Exact tien seconden. Tien seconden om een dijkbreuk te voorkomen. Nooit eerder zag ze een rampenplan effectiever uitgevoerd. Wie nu pas, op 1:27, naar de man kijkt, merkt niets van de voorbije aanval, ziet enkel een onbewogen toeschouwer, die de schijn zou kunnen wekken er met zijn gedachten niet helemaal bij te zijn, zich zelfs te distantiëren van de hysterie om hem heen.

Ze schoof de knop terug naar 1:17. En daarna nog eens.

En nog eens. Het kreeg iets wetenschappelijks, alsof een reflex uit de dagen van haar doctoraalonderzoek het overnam. Wat bracht deze proefpersoon tot dit gedrag? Hoe interfereerde de setting met zijn gevoelens? Was zijn emotionaliteit authentiek, of een affectierespons op omgevingsfactoren?

Allemaal relevante vragen. Alleen haar eigen ontroering klopte niet.

Ze stopte met kijken toen die ontroering gezelschap kreeg van iets wat haar nog meer verontrustte: een licht geknaag in de miltstreek, dat ze alleen maar kon omschrijven als jaloezie.

Jaloers op andermans verdriet. Ze schudde haar hoofd. Toch kwam het haar voor dat die man iets uitzonderlijks had meegemaakt. Iets wat hem, terug thuis, ondanks het gesakker en urenlang aanschuiven in de files na het concert, ondanks het vooruitzicht de volgende morgen na veel te weinig slaap een loodzware werkdag te moeten aanvatten, een nacht van extreem nagenieten had bezorgd.

Ze stond op, liep naar de foto van Jonathan.

Ze bracht hem bij haar ogen en bekeek elk detail in zijn gezicht van heel dichtbij. Alsof hij boven op haar lag, in een wolkje aardelucht. Zoomde in op de donkere wallen onder zijn ogen, die haar ooit, zonder dat daar enig cynisme mee gepaard ging, tot haar troetelnaam hadden geleid: mijn pandabeer.

Een meeuw schreeuwde toen haar tongpunt het koele glas raakte.

5

Het schuldgevoel vergezelde hem door de dagen die volgden, en nog voor er een week voorbij was, had Reinoud het voornemen opgevat zijn schoonouders een bezoekje te brengen, daarin gesterkt toen hij op een avond in een tv-programma belandde over personeelstekort in de zorgsector. Een vrouwtje van negentig, lepels soep tillend naar een dansende tandeloze mond, waarbij meer soep overboord ging dan de om haar borst gedrapeerde handdoek aankon. Een druipend fresco van vermicelli, wortelblokjes en selderie. Het moet, dacht Reinoud. Misschien op Mariannes verjaardag – ja, dat was een goed idee. Met een bloemetje en een kruik jenever.

Hij nam er enkele biertjes op, kroop in bed.

De datum, 2 april, flikkerde voor de rest van de nacht door zijn halfslaap, waaruit hij tweemaal werd gewekt door een volle blaas.

Maar toen hij de volgende morgen opstond, en de alcohol was uitgewerkt, en hij zichzelf tot ontbijten probeerde te bewegen, dacht hij: ach, waarom? Waarom die verbroken banden weer aanknopen? Dingen gingen zoals ze gingen, iedereen was het nu zo gewend, Carla en Willy ook – wellicht was zijn beeld in hun sclerotisch brein allang tot puin verbrokkeld en zou een reconstructie alleen maar voor onrust en verwarring zorgen. Het was met oude mensen als met oud meubilair: je moest er niet te veel mee schuiven.

Anderzijds: misschien kon hij het gesprek op de kersenboom brengen.

Hij bakte een eitje, dat naar plastic smaakte, en dronk een paar koppen koffie.

Elf uur: boodschappen, de wasserette.

Lichte pijn in zijn rug. Lichte regen over de stad: het soort ragfijne gemiezer dat, in plaats van hoorbaar vallend water zoals regen hoort te zijn, een klamme vitrage vormt die aan de dakranden hangt en tegen je gezicht slaat als je erdoorheen wilt.

Even plakkerig was die datum van 2 april: een Post-it op iedere gedachte die zich aandiende.

Hoe oud zou Marianne straks geworden zijn? Vijfenzestig. Hij realiseerde het zich nu pas goed. Vijfenzestig. Einde van carrières, begin van pensionering. Het was moeilijk om die begrippen, die levensfase aan Marianne vast te knopen – niet de Marianne zoals ze nog in zijn hoofd bestond. Vitaal, scherp, de gedreven hoofdredactrice van het ambitieuze *Promenade*, regionaal lifestylemagazine dat zelfs een interview met Jamie Oliver op z'n palmares had staan. Wilde plannen borrelden nog in Marianne, die lamlendige ochtend waarop ze, al diep in de middelbare leeftijd, vertrok voor een fietstocht door het Brusselse ommeland. Vijfenzestig. Was ze er nog geweest, dan zouden ze dit getal zonder enige twijfel de nodige luister hebben bijgezet: chic diner in het Hilton, met bubbels en alles erop en eraan, opera achteraf (*Hoffmanns vertellingen* liep, zou ze absoluut zien zitten), en qua cadeau misschien een...

Hij blokkeerde zijn afweging van geschenkmogelijkheden toen hij zijn ontroering voelde toenemen. Niet dat hij tranen vreesde. Ze zouden ook niet opvallen: iedere passant liep erbij met natte wangen of een beslagen bril. Maar hij was geen man van tranen. Zelfs op Mariannes uitvaart had hij ze niet toegelaten, hoewel zijn hart als met vleeshaken in stukken werd getrokken. '*Belle nuit, ô nuit d'amour...*' – het duet welde onhoudbaar op. Wilde niet meer weg. Hij hielt halt, keerde zich naar een uitstalraam en zag dat hij tegenover een assortiment horloges stond. Bleke gezichtjes vol bevroren tijd: overal tien na tien, waar hij ook keek. Jaloezie: tijd te kunnen manipuleren, stilzetten, terugdraaien, vooruitdraaien. Marianne te kunnen tegenhouden toen ze haar fiets op het draagrek bond. De lichten op de hoek van hun straat bij haar vertrek op rood doen springen, zodanig dat ze – misschien – twee minuten later dan gepland op de afspraak in Sint-Pieters-Leeuw verschijnt, zodanig dat – misschien – de vrachtwagen die haar om 15:47 uur bij Drogenbos de berm in zal sleuren – al twee minuten voorbij zou zijn gedenderd, toen hun groepje (oud-schoolvriendinnen, jezus, hij had haar nog zo gewaarschuwd: laat het verleden het verleden, wat is in godsnaam de meerwaarde van een zwerm nostalgische trutten in het hoofdstedelijke landschap?) eraan kwam, zodanig dat...

Reinoud zette zijn kraag rechtop.

'*Zéphyrs embrasés, versez-nous vos caresses...*'

Hij stapte verder, zich steeds bewuster van het geknaag in zijn bilspleet, waar de woelende artsenvinger hem een toemaat aambeien had bezorgd die al de dag na het onderzoek als paddenstoelen rond zijn anus waren opgeschoten en daar nu, zoveel weken later, nog altijd gedijden.

Straks een zalfje halen.

Hij zuchtte.

Wat zou hij niet geven voor een uur, één uurtje maar, een kwartiertje desnoods, in haar gezelschap – één seconde weer de warmte van haar lijf, de druk van haar schouder tegen zijn borst.

En haar de zalf laten aanbrengen.

In de Groene Hoed dronk hij een warme chocolade.

Hij bladerde door een stadskrant die rondslingerde op de bar, vond niets dan non-nieuws, checkte Twitter, vond niets dan non-nieuws. Hij bestelde een amaretto, keek hoe de sterrenconstellaties er boven zijn hoofd uitzagen, draaide de Star Walk-app naar 6 augustus 2004. Vergeleek de Vlaamse hemel nu met de Vlaamse hemel toen. In welk dansje de planeten verwikkeld waren toen Mariannes ziel erdoorheen schoot. Geen spoor van haar passage, geen vonkje of vuurstreepje dat enigszins wees op een verstoring van de kosmische polonaise die haar verscheiden toch moest hebben veroorzaakt – volgens hem. Volgens hem moest er toen, in een consistent universum, een laaiende flits zijn geweest, een komeetachtig iets, opvlammend boven Sint-Pieters-Leeuw, en koers zettend naar bijvoorbeeld Sirius, die daar zo prominent de Grote Hond aanvoerde.

Maar er was niets.

Alleen zoete amaretto.

En zijn plan om Mariannes ouders te bezoeken.

Willy en Carla – altijd goed met ze kunnen opschieten. Eigenzinnig stel, wisten precies welk leven ze wilden en welk niet. Onafscheidelijk in hun verbouwde boerenhuis aan de Gentse rand, tussen de knoestige bomen van de oude boomgaard. Een absurde plek. Hoe vaak had die niet als decor gediend voor idyllische momenten: met Marianne, haar zussen, met Willy en Carla zelf, met avondlijke buren die neerstreken op de houten bank.

Reinoud zocht zijn portefeuille, trok een verkreukte foto achter zijn identiteitskaart vandaan: hij met zijn linkerarm rond Marianne, zijn rechter rond Suhaymah, hun Indiase Plan-dochter, geadopteerd na Mariannes tweede miskraam, die daar als stralende schoonheid-uit-duizend-en-één-nacht tussen haar Plan-ouders bij de kersenboom stond – kiekje dat (Reinoud dacht even na) kort voor Mariannes dood was genomen, want Suhaymah was net dertig geworden toen ze voor het eerst (en voorlopig het laatst) naar België kwam: belangrijk ambtenaar bij het Indiase ministerie voor Toerisme, levend bewijs van hoe succesvol het Plan-programma kon zijn.

De kersenbladeren kleurden geel en bruin, het was herfst: alle kersen allang opgegeten, verteerd, die duizendvoudige forse, van sap barstende reine hortenses die je van Willy met handenvol van de verweerde takken mocht trekken en die Marianne ter plaatse, vaak nog op de ladder, in haar mond stak en pitten spuwend als een ballenmachine naar binnen werkte. Of die – Willy's jaarlijkse nachtmerrie – werden afgepikt door vogels. Niet voor niets droeg de kers *Prunus avium* als wetenschappelijke naam, en de merels in het bijzonder gaven er hun ziel en zaligheid voor. Als het seizoen daar was, barstte elk jaar weer het heroïsche gevecht los tussen Willy en zijn zwarte demonen: hij propte de kruin vol vlaggen, wimpels, poppen met spookgezichten (een net vond hij te wreed), zodat de boom iets kreeg van een voor carnaval opgetuigd zeilschip – helaas, de beestjes lieten zich niet imponeren, ook niet door het grote blik kiezelstenen dat Willy tussen de takken hing en waaraan hij via een lang touw dat door een kier in het venster tot in zijn slaapkamer liep, vanaf het krieken van de dag grote rukken gaf vanuit zijn bed. Het kabaal joeg de verschrikte buren tot vijf huizen verder uit de veren, maar de merels helaas slechts naar de aanpalende perenboom, van waaruit ze, aangezien het nog lang geen perenseizoen was, telkens weer overstaken naar de lokkende wolk reine hortenses.

Zou de boom er nog staan? Hoe lang leefden kersenbomen?

'Een cent voor je gedachten!'

Reinoud keek op, in het gezicht van Adriaan, de barman.

'Nog eentje?'

Adriaan wees naar het lege amarettoglas.

'Op mijn kosten.'

Reinoud knikte, Adriaan greep de fles en schonk bij.

'Hoe je die wijvenrommel naar binnen krijgt...'

Wááveroumel – het Gents klonk, zoals gewoonlijk, als een statement. En was wellicht ook zo bedoeld. Hou het simpel, ziedaar Adriaans visie op de dingen. Bijvoorbeeld: dat ook drankjes een duidelijke genderlijn volgden, die je het best respecteerde. Anderzijds zorgde zijn uiterlijk voor enige verwarring. Zijn kaalgeschoren hoofd en dikke hangsnor zorgden, samen met de weids over zijn broek vallende hemden die hij elk seizoen droeg, ervoor dat hij meer weg had van een Mongools stamhoofd dan van een Vlaamse biertapper.

Hij greep een glas tomatensap dat achter hem naast de fruitpers stond.

'Proost,' zei hij.

'Proost.'

'Wel?'

'Wel wat?'

'Waaraan zat je te denken?'

'Niets bijzonders.'

Adriaan knikte. Reinoud zag nu pas dat hij de enige klant was. De vier heren die bij het raam hadden gezeten, laptop en papieren voor zich op tafel, waren weg. Hun koffiekoppen werden afgeruimd door een meisje met een lang blauw schort dat tot haar tenen reikte. Ze liet een lepel vallen.

'Weet jij hoe oud een kersenboom wordt?' vroeg hij.

'Een kersenboom?'

'Ja.'

Adriaan fronste.

'Ik zou het niet weten. Ik zou niet eens een kersenboom herkennen als ik ervoor stond. Tenzij er kersen aan hingen.' Hij dronk, veegde zijn snor af met de rug van zijn hand. 'Ga je kersen kweken?'

Het meisje had de lepel opgeraapt en laveerde met een dienblad vol koppen, schaaltjes en papiertjes naar de keuken. Reinoud zag een potje passeren met een variatie aan suikerklontjes. Groot, klein, kubusvormig, hartvormig, brokjes kandij die eruitzagen als voorhistorisch edelgesteente. Er was een geknakte prikker in gevallen. Het meisje schopte de keukendeur open, een zwakke lavendelgeur achterlatend om Reinouds hoofd.

'Boompje groot, plantertje dood,' zei Adriaan.

Twee gedachten vochten om behandeling. Wat gebeurde er met afgediende versnaperingen? Belandden restjes suiker, olijven, pinda's en chips in de vuilnisbak, of gingen ze terug de pot in, om bij het drankje van de volgende klant te worden geserveerd? Ten tweede: neem nou een stel geliefden, man en vrouw, van wie er een, zeg maar de man, zo'n dag beleeft waarop de rek wat uit de relatie lijkt, zo'n dag waarop vervlakking en verveling hun klauwen hebben uitgeslagen, er gekat wordt om de eerste de beste prul en hij andere vrouwen weleens durft te begluren vanuit een experimenteel vergelijkend perspectief. Stel dat hij zich dan inbeeldt in een tijdreis te zitten, en dat die bepaalde baaldag eigenlijk de vervulling is van een wens die hij heeft geuit in een verre toekomst waarin zijn vrouw er niet meer is, na haar dood bijvoorbeeld, een toekomst waarin hij, kapot van verdriet, op een gegeven moment denkt: kon ik maar één keer, één minuutje terugkeren naar destijds, toen ze elke ochtend mijn eerste gewaarwording was, mijn dagbegin met haar warme lijf op enkele centimeters van het mijne. Zou de verveling niet in één klap verdreven zijn? Zou hij niet als door wespen gestoken opveren van de bank, zijn *Playboy* in de hoek gooien en de keuken in stormen om zijn armen om haar heen te slaan, haar te grijpen met een verpletterende kracht, om nooit, nooit meer los te laten?

Reinoud nam een slok amaretto.

'Bij Marianne thuis stond er een kersenboom,' zei hij.

'O ja?'

'Ja. In Hansbeke, bij de voorgevel. Stokoud. Misschien staat hij er nog, ben er al een tijdje niet meer geweest.'

'Zo.'

'Geplant door haar grootvader. Louis Barneveld. Ze heeft hem nooit gekend. Boerenzoon, werd in augustus 1914 gemobiliseerd en deserteerde al na de eerste veldslag, ergens in de buurt van Luik.'

'Geef 'm eens ongelijk.'

'Stond op trouwen. Kwam in Amerika terecht. Had daar een oom die in de kersenteelt zat, ergens bij San Francisco. Bleef er de hele oorlog, en toen keerde hij terug, vloog enkele dagen de gevangenis in als deserteur, maar kwam vrij op grond van verjaring. Enfin, hij trouwde, kreeg kinderen, en stierf net voor de Tweede Wereldoorlog, nog geen vijfenveertig jaar oud.'

'Ai.'

'Tbc, opgedaan op de boot naar Antwerpen.'

'Ja, dat bestond toen nog.'

'Kort voor hij stierf, plantte hij die boom. Er kwam een telegram uit Amerika, en hij plantte die boom.'

Adriaan trok een wenkbrauw op, dronk van zijn tomatensap.

'Dat heeft Willy, Mariannes vader, ons eens verteld, bij een zondagmiddagborrel. Ik weet het nog goed: we hadden net onze verloving aangekondigd en zaten aan de champieter. Er kwam een telegram, zei Willy, en onze pa plantte een kersenboom in de voortuin.'

'Waarom?'

'Heeft niemand ooit geweten.'

'Nee?'

'Er werden daar niet veel vragen gesteld. En Willy was nog maar een jongen. Maar volgens hem had het iets met dat telegram te maken. Marianne, doodnieuwsgierig, probeerde zijn tong te pellen. Heb je het dan nooit aan oma gevraagd? vroeg ze. Nee, zei Willy, dat deden we niet. En dat zijn pa op zijn sterfbed hem opdroeg om goed voor die boom te zorgen. Hem nooit te kappen en zo. Zijn moeder was er nochtans niet voor, zei Willy: ze hadden al een kersenboom en die nieuwe nam haar ochtendzon weg. Maar de boom bleef staan. Jezus, hebben wij daar kersen van gegeten, Adri. Kilo's en kilo's, elke zomer.'

'Lekker,' zei Adriaan. 'Kersen zijn erg lekker.'

'Ja.'

Reinoud kreunde terwijl hij verschoof op zijn kruk.

'Scheelt er iets?'

'Nee. De oude dag.'

6

Angelo kon maar één moment in zijn leven bedenken waarop hij eenzelfde absurde aanvechting had gevoeld om iets volkomen idioots te doen en er niet in geslaagd was zichzelf te verhinderen aan die aanvechting toe te geven.

Het gebeurde kort voor zijn vader en moeder, amper de tienerbroek ontgroeid, uit hun ouderlijk gezag werden ontzet. Hij was een jaar of zes en ze woonden op de eerste verdieping van een smal pand bij de Boerentoren, waarvan zijn grootmoeder de parterre betrok. Hun huiskamer was de vroegere meisjeskamer van zijn moeder en dat was nog duidelijk te merken: Angelo herinnerde zich de levensgrote posters van Clouseau, Wham! en andere hitparado's uit de tijd van de schoudervulling (*Tachtig wordt prachtig!*), die met hun strakke kapsels en uitdagende blikken de vochtige muren bezet hielden, toekijkend hoe zich aan de tafel onder hen een nieuw stuk communicatiestoring op gang trok.

Op een middag, toen zijn vader op de bank lag te slapen met een bijna gedoofde shag tussen zijn vingers (Angelo zou een decennium later tijdens het betreden van een rokerig studentenkot opeens weer, als hapte hij in een madeleine, diezelfde kruidige geur in de neus krijgen die altijd in huis hing en in een flits het oorbelletje van George

Michael zien) en zijn moeder beneden de afwas deed, kreeg hij de naaimand op het bijzettafeltje in het oog. Zijn eigen sweater lag erbovenop, neergegooid in een haastig hoopje, omdat er zich een dringender taak had gemeld. Aan de mouw hing een halfbevestigd elleboogstuk waar de naald nog in stak. Angelo zag ze glimmen (streng verboden speelgerei), keek naar zijn vader, die zich op zijn zij draaide, waardoor het gesnurk en gefladder van zijn bovenlip ophielden, toen weer naar de naald. Hij gleed van zijn stoel, ging omzichtig op pad, als besloop hij een vogel. Bij de naaimand wachtte hij twee seconden, klemde toen het dunne metaal voorzichtig tussen duim en wijsvinger, en begon, zijn blik nog altijd op zijn vader gericht, langzaam te trekken, met licht verwrongen gezicht, als bereidde hij zich voor op een explosie, of op z'n minst het geluid van knellend piepschuim. Toen de naald losschoot, bevroor hij, zijn blik vastgezogen aan zijn vaders lippen, die even een kauwbeweging maakten, maar verder niets. Hij tilde de naald – nog altijd even langzaam – tot vlak voor zijn neus, waardoor het zwarte garen tergend traag, maar onherroepelijk uit het oog gleed. Het gaf een gevoel van triomf, alsof hij de bevrijder van dit glimmende voorwerpje was, dat door de grote mensen klem was gezet in zijn sweater. Super-Angelo. Angelo Langkous. Hij liet de naald rond zijn as tollen, heen en weer, sneller, steeds sneller, observeerde hoe het oog zich opende en sloot, opende en sloot, in een ritueel van knipperende verstandhouding. Met hun tweetjes wisten ze dat er iets te gebeuren stond: bakens zouden verzet worden, een bondgenootschap was gesmeed.

Gekreun op de bank, Angelo schrok. Het lange vaderlijf ging wrikkend op zoek naar een betere positie. Het achterwerk schoof over de rand. Angelo liet zich op zijn knieën zakken, tot zijn ogen zich vlak voor de uitstulpende bult bevonden en alle details van de afgesleten trainingsbroek zich als een korrelig landschap voor hem ontrolden. Flardjes tabak, een vlek gedroogde jam. En opeens gebeurde er iets vreemds. Hij zag hoe zijn hand met de naald in beweging kwam, hoe die de blauwe, bolle, gegleufde heuvel naderde, de punt gericht op de top ervan. Verbaasd keek hij toe. Hij wist dat hij moest ingrijpen, de manoeuvre moest tegenhouden of dat anders de gevolgen niet te overzien zouden zijn. Maar het leek zijn eigen hand niet meer. Op een vreemde manier onttrok zij zich aan elk bevel. Won snelheid en kracht, ging er opeens vandoor als een hond die zich losrukt. Help, dacht Angelo. Maar de volgende seconde was het gebeurd. Een schicht flikkerde, en voor zijn verbijsterde blik (een inslaande raket, dacht Angelo) plofte het gladde metaal in het gespannen oppervlak van zijn vaders billen.

Wat daarna kwam kon Angelo zich nu, bijna twintig jaar later, niet precies meer herinneren. Een mix van geschreeuw, mannelijk en vrouwelijk, kletterende voeten op de trap, geknal van deuren. En hij onder een tafelkleed, of achter een gordijn. Maar dat gevoel van ongeloof, toen hij zijn hand in beweging zag komen, dat herkende hij nu weer, even scherp, even onwerelds, even verlammend als toen, terwijl hij – doof voor het rumoer van een stilaan vollopende Je t' Aime Moi Non Plus – naar zijn mobieltje staarde, waaruit zonet, onder de druk van zijn autonoom handelende duim, de fatale boodschap was vertrokken.

Hou van je, hou van je, sorry...

Angelo's slapen bonsden. In gedachten hoorde hij, niet ver van het Vincentius-ziekenhuis, een sms-signaal overgaan, zag een slanke, gemanicuurde hand een telefoon uit een tas opdiepen, op Openen drukken, zag twee blauwe ogen het bericht lezen, zag erboven de zorgvuldig geëpileerde wenkbrauwen zich langzaam opduwen tot gotische boogjes van verbazing, zag de gemanicuurde vingers met – het was weekend – roze gelakte nagels in beweging komen om de afzender te bekijken, zag de volle rode lippen vaneengaan, zag...

Hij redeneerde tegen lichtsnelheid, zijn glas omkerend boven zijn lippen, tegen beter weten in hopend op een overgebleven druppel Dalwhinnie.

Hoe zou hij op Thaïs' scherm verschijnen? Als naam? Als telefoonnummer? In het eerste geval kon hij evengoed zelfmoord plegen. In het tweede geval had hij een (water)kans dat ze aan een flauwe grap zou denken en zich de moeite niet zou getroosten om uit te zoeken wie de onnozelaar was. Een schoonheid van haar kaliber werd wellicht gestalkt van 's ochtends vroeg tot 's avonds laat en ze zou wel te doen hebben om...

Hij ademde diep.

Jezus christus, wat had hem bezield?

Hij bedwong zijn arm, die omhoog wou om een vierde whisky te bestellen. Om hem heen werd het warmer, zwol het rumoer van een zaterdagse vooravond die alleen maar de verwachting van gezelligheid en vertier in zich droeg. Een blij tafereel, dat hem enigszins kalmeerde. Of althans de berusting verschafte van de terdoodveroordeelde die zich alleen nog afvraagt of de trap naar het schavot niet te glad zal zijn.

Thaïs. Lieftallige Thaïs. 'Een klein prikje, Angelo... Komt-ie, hoor. Gaat het?' Jezus, of het ging. Haar prikjes, vergezeld van haar lage stem, haar etherische geur en op ademafstand boven hem zwevende Maria-gezicht (telkens deed haar masker hem aan een verschijning denken), dreven het genot dieper dan zijn tandwortels.

Thaïs – hadden haar ouders aan Massenet gedacht bij de naamkeuze?

Door het rumoer heen hoorde hij de Franse retromuziek die continu in de Je t' Aime Moi Non Plus speelde. '*Avec mes yeux tout délavés, qui me donnent l'air de rêver...*' Al beter dan het '*Non, non, rien n'a changé*' van daarnet.

Hij vroeg zich af of zijn afkeer van populaire muziek, zijn fanatieke trouw aan de klassieken, werkelijk terug te voeren was naar zijn kindertijd, zoals Tonia beweerde. Die verre dagen op de eerste verdieping bij de Boerentoren, waar popgeluid zeven op zeven de soundtrack had gevormd voor scènes van allerlei soorten disharmonie. Daar ligt het, zei Tonia. Niet bij die zogezegde verfijnde smaak van jou waarmee je me altijd om de oren slaat, alsof ik een boerentrien ben die alleen de vogeltjesdans leuk vindt.

Dit laatste had Angelo ontkend, met klem, zij het ook wat schuldbewust: misschien was hij inderdaad niet altijd even tactvol bij zijn pogingen Tonia te leren differentiëren tussen Paganini en André Rieu. Maar haar psychologische duiding had hem toch doen nadenken. Dit soort inzicht, los van de correctheid ervan, had hij niet bij haar verwacht. Hij had haar zijn voorgeschiedenis ook alleen maar verteld (lichtjes aangedikt) als onderdeel van een globale imponeerstrategie: Tonia overtuigen dat ze een cruciale rol speelde in het rechttrekken van een door het lot scheefgeslagen leven. Haar het gevoel geven dat zij, en niemand anders, geroepen was om zijn hoedster te zijn, de reddende engel die hem, het arme schaap dat met zoveel handicaps aan de start was verschenen, alsnog een toekomst kon bezorgen. Haar kittelen in de M-plek, zo zag hij het. De M van mama. Hij had haar analyse dan ook niet tegengesproken. Ook niet toen ze stelde dat zijn studies wijsbegeerte uit dezelfde motieven waren voortgekomen: de drang zich af te zetten tegen zijn vroegere milieu. Hmm, had hij gebromd, hmm. *Whatever*. Hij hoefde haar niet te vertellen dat zijn keuze evenzeer had berust op het feit dat Marloes, zijn toenmalig vriendinnetje, ook wijsbegeerte deed, wat er meteen voor had gezorgd dat hij vijf jaar later daadwerkelijk met een masterdiploma de universiteit kon verlaten, dankzij Marloes' niet-aflatende bereidheid als zijn helpdesk te fungeren bij het bijbenen van gemiste cursussen, het inhalen van vergeten papers, het niet-overschrijden van deadlines voor projecten, het instuderen van minstens de halve examenstof. En, niet te vergeten, het typen van zijn scriptie (ondanks haar walg voor het onderwerp): *ARTHUR EN DE SIRENEN: over het vrouwbeeld bij Schopenhauer*. Kortom, een godsgeschenk, Marloes, want fraai van lijf en leden op de koop toe. Hij was dan ook als van de hand Gods geslagen toen ze aan het einde van de rit verklaarde er dik genoeg van te hebben zijn secretaresse, kok, kleermaakster en escort te zijn, dat ze haar maatschappelijk dienstbetoon als volbracht beschouwde nu hij zijn certificaat op zak had, en dat ze hem het allerbeste wenste in zijn verdere leven. Verdwaasd was hij achtergebleven, viel in een maandenlange lethargie, solliciteerde naar geen enkele baan, dronk, rookte, neukte, scharrelde een kostje bij elkaar als boekhandelbediende en pizzabesteller, en belandde uiteindelijk in Tonia's bed.

'*Et nous ferons de chaque jour, toute une éternité d'amour...*'

Angelo staarde naar zijn gsm.

Waarom kwam er geen geluid uit? Waarom stuurde ze geen antwoord? Zoals: Donder op! Wat te doen? Zelf het heft in handen nemen? Thaïs' nummer draaien en hakkelen dat het om een vergissing ging? Had dat niet allang moeten gebeuren? Meteen? Waarom had hij het niet gedaan? Gíng het wel om een vergissing? Het was zíjn duim die op OK had gedrukt, terwijl zíjn ogen op de naam Thaïs rustten. Was er metafysica in het spel? Een sturing van zijn spieren van hogerhand? Hij dacht aan een citaat van Dalí, dat, achtergelaten door een vorige kotbewoner, zijn keukenmuur sierde: 'Vergissingen zijn altijd van sacrale aard. Probeer ze niet recht te zetten. Begrijp ze. Daarna kun je sublimeren.' Hij dacht aan het aloude adagium van het pokerspel: over de foute zet op het goede moment. Hij dacht aan de goal van Maradona's goddelijke hand.

Hij staarde harder, zowel hopend als vrezend dat de telefoon zou rinkelen.

Nieuwe echo's van de voorbije middag kwamen in zijn hoofd op, het gekissebis over Mahler. Tonia's studie van het tekstboekje. '*Dunkel ist das Leben, ist der Tod.*' Zo pessimistisch had ze gezegd, op een bakvistoon. Zo pessi*mies*-tisch. Zulke rare melodieën, en zo'n pessimistische tekst, zo deprimerend. Hij had zich ingehouden. Het gaat over het leven, had hij gezegd, de existentie, niet over kantklossen. En Mahler had serieuze drama's achter de rug toen hij *Das Lied von der Erde* componeerde. En kijk eens hoe poëtisch hij wordt in de volgende delen. Hoe troostend. Hoe mooi hij de maan bezingt die als een zilverschuit over de hemelzee vaart, het zachte briesje dat waait achter de donkere sparren. Prachtig toch? Ja, had ze gezegd, toen het '*Ewig... ewig...*' was weggestorven. Heel... speciaal. Maar geef mij maar Branduardi.

Hij wist dat ze het goed bedoelde. Had het gemerkt aan haar glimlach, aan het kneepje in zijn wang. Branduardi was háár cadeau geweest voor hem, de vorige kerst. *Angelo* Branduardi – kende hij hem? Een icoon uit haar jeugd: 'Merry We Will Be' – zálig. Het soort 'klassieke' muziek dat ze wél goed vond, zei ze. Waar je vrolijk van werd. Ze had het op vinyl gehad, ooit, maar was het kwijtgespeeld aan een vriendin. En nu lag het onder de boom voor hem, háár Angelo, haar kerstengel. Hij had het in stilte aanvaard en met welwillendheid beluisterd, terwijl hij in het schijnsel van ballen en guirlandes een pakje condooms openscheurde. Maar nu, een goed jaar later, na haar afserveren van Mahler als een *highway* naar depressies, nota bene op grond van het door hem zo bewonderde *Lied*, was zijn begrip opeens op. Haar glimlach deed hem wegkijken, haar kneepje voelde als de neep van een tang.

'Branduardi? Veredelde cowboymuziek,' had hij gebeten.

Haar loft was uitstekend geïsoleerd. Niemand van de buren had op de muur gebonsd bij wat volgde, zoals vroeger wel gebeurde tijdens de krachtmetingen van zijn ouders. Tien minuten later had hij – in de traditie van zijn vader – de straatdeur dichtgesmeten, haar 'Mahler is een zaag!' nog in zijn oren.

Angelo stak zijn telefoon weg, stond op, ging naar de kassa, lichtjes verrast door het effect van de whisky op zijn vermogen om de afstand in te schatten tussen zijn onderlichaam en de tafels waar hij langs moest. Hij rekende af, stapte naar buiten, dadelijk rillend van de kou. Hij aarzelde over de richting die hij in zou slaan, maar de wind liet weinig opties. Als hij geen longontsteking wilde, dan moest hij terug naar zijn pull en jas, en die lagen allebei nog bij Tonia. Het zou een knieval impliceren, een sorry. Dat moest dan maar. Misschien was het ook wel aan de orde. Hij was lomp geweest. Hij was een ezel. Hij was een ploert.

Een jong stel kwam voorbij, diep verzonken in hun jassen of elkaars omarming – dat was niet helemaal duidelijk.

Hij keek ze na, tot zijn telefoon ging.

Hij slikte, diepte het toestel op, checkte het nummer met kloppende keel.

7

Toen Jonathan van haar scherm verdween, liet ze zich achteroverzakken.

Ze sloot haar ogen.

Hij had er goed uitgezien, opvallend goed, ondanks de haperende verbinding. Een goed gesprek. Alsof hij bij haar was geweest, in plaats van duizenden kilometers ver. Een warm gesprek, ondanks de vele praktische dingen die geregeld moesten worden. '*Practicalities*,' zei hij. Een waslijst opdrachtjes, verzoekjes voor het departement. Morgen gelukkig vakgroepsvergadering, ze kon er meteen aan beginnen. Het zou niet simpel zijn: sommigen hadden zijn beurs voor San Francisco nog altijd niet verteerd.

Ze dommelde in, droomde kort: exotische taferelen, op niet te identificeren stranden. Droomde van Jonathan in een blauw pak, terwijl hij nochtans in een slobberend geel T-shirt voor de webcam had gezeten. USF, stond er op zijn borst, in groene westernletters. University of San Francisco. Borst*en*, eigenlijk: hij schoof duidelijk de middelbare leeftijd in. Vandaar die jeugdige outfit? Frisco was koud, had hij gezegd, eenzaam zonder haar, ondanks de vele studenten. Zijn seminar: een succes! Of zij hem miste? – Ja, verschrikkelijk. – Had ze zijn cadeau al geprobeerd? – Nee. – Moest ze eens doen. En erbij hard aan hem denken. Dat zou hij voelen, daar aan de West Coast.

Good vibrations. In zijn onderbuik. Ze had gelachen, en hij ook. Maar achter zijn lach had ze iets anders gehoord, en ze had niet geweten wat ervan te denken.

Ze schoot wakker door een verre dichtslaande deur, die één seconde nog de knal van een ballon uit haar droom leek.

Ze stond op, trok haar winterjack aan, nam de lift naar beneden.

De dijk was zo goed als verlaten. Sommige restaurants waren al dicht.

Ze stapte flink door, genietend van de wind die aan haar lichaam rukte als een uitgelaten hond, en toen ze weer in haar studio stond, voelde ze een gloed op haar huid die (ze aarzelde de associatie toe te laten) herinnerde aan seksuele opwinding. De hele wandeling door had ze aan Jonathan gedacht, misschien onder invloed van het gebrul van de branding, dat beelden had opgeroepen van surfers op Stille Oceaan-stranden, gebeeldhouwde mannenlijven die gekromd op hun plank een boschiaanse tunnel van dreigend krullend water in doken. Jonathan, die ze niet alleen miste in huis, maar ook op het werk, waar ze nog altijd haar draai niet had gevonden. Niet met collega's, niet met studenten, niet met Administratie of het onderhoudspersoneel: nog de vorige vrijdag had een opgewonden schoonmaakster haar een vuilniszak voor de neus gehouden vol blikjes, papiertjes, kartonnetjes en zelfs ('Kijk, mevrouw!') een ongebruikte Tampax – allemaal opgeraapt in het practicumlokaal waar zij net les had gegeven.

Met Jonathan in Amerika was het er niet eenvoudiger op geworden, zeker niet nu Huguette tot voorzitter a.i.

was aangesteld. Zij, die bij haar intrede op de hogeschool haar coach was geweest, bijna vriendin geworden, en vervolgens, omzeggens van de ene dag op de andere, haar de rug had toegekeerd toen haar verhouding met Jonathan begon. Huguette had een en ander duidelijk gepercipieerd als een carrièremove: vakgroepvoorzitter opvrijen om op te kunnen stoten in de vaart der volkeren. Vooral als die voorzitter ook nog researcher was aan de universiteit. Terwijl – Eleonora probeerde zich de ware toedracht voor de geest te halen – zij zich wekenlang hevig had verzet tegen de groeiende emotionele druk van Jonathan, die haar cybermatig tot in haar mailbox, fysiek tot in de vestiaires achtervolgde. Elke minuut had ze zichzelf gescreend op de puurheid van haar afkalvende weerstand: speelde zijn positie een rol? Het erotiserende effect van macht was haar niet onbekend: zij las ook weleens een boek, en had tijdens haar doctoraatsjaren in Nijmegen haar ogen niet in haar zak gehad. Het bed van een professor bleek vaak veel vruchtbaarder voor academische ontkieming dan de steriele lucht van een laboratorium. In Jonathans verschijning vond ze ook al geen excuus: tien jaar ouder, geen enkel spoor van pogingen de geestelijke ontwikkeling aan een *corpus sanum* te blijven koppelen. En verder gewassen in alle amoureuze watertjes van het departement, zoals de tamtam van de koffiepauzes haar de eerste dag al leerde. Zowel het diep uitgebaggerde kanaal van vast benoemd personeel als het kabbelende beekje van eerstejaarsstudentes.

Toch was ze uiteindelijk bezweken – totaal. Met een schuldbesef dat haar, af en toe, nog altijd achtervolgde. Dat besef heette Younes. Haar jeugdliefde, opgedaan (ach, het cliché) tijdens een scoutsbal in de parochiezaal van Sint-Jozef, ze waren allebei zestien. Passie die nooit zou overgaan. Hete eden van trouw, geboekstaafd in gedichten, brieven, telkens weer gezworen en hernieuwd tijdens tochtjes door de duinen, bij Noord-Franse kampvuren, tijdens peperdure telefoongesprekken (voor haar vaders rekening), wanneer Younes zijn jaarlijkse vakantie doorbracht bij familie in Marrakech. De hele wereld had hun voorspeld dat het een hopeloos avontuur zou worden, haar moeder (normaal een toonbeeld van tolerantie en bij voorbaat solidair met haar dochter) niet het minst. Het zou níét lukken. Er waren te veel verschillen, de cultuur klopte niet. Haar vader, ex-hippie, absolute voorstander van vrijheid, blijheid en gelijkberechtiging, wees precies daarom met een waarschuwende vinger op het middeleeuwse beeld van de vrouw in het hoofd van de moslimman. Younes' vader dreigde, toen zijn zoon achttien werd, met onterving, verstoting, dreigde dat – als hij niet brak met die ongelovige slet – hij zou verbieden dat Younes' naam ooit nog viel in de familiekring.

Ze hadden zich schrap gezet, hun krachten gebundeld. Toen haar moeder geen tranen of argumenten meer had, kreeg ze steun uit onverwachte hoek. Tante Rebecca, die lucht had gekregen van de affaire, kwam toegesneld uit haar Hollandse klooster ('Daar heb je Sœur Sourire,' mompelde haar vader toen ze van de trein stapte) en vroeg Eleonora welke god haar kinderen zouden dienen. De god van de liefde, had ze geantwoord. En dat is ook Allah. Younes had een citaat van Mohammed klaar: Allahs liefde voor de mens is tederder dan die van een vogel voor zijn jongen. Tante Rebecca had gezucht: Allahs liefde beperkt zich tot zijn volgelingen, Noortje. De rest laat hij uitmoorden. Nog geen dag later had Younes een repliek uit het Oude Testament gegoogeld: 'Wanneer iemand u probeert over te halen om andere goden dan de Heer te dienen, moet u hem stenigen tot de dood erop volgt. De hele stad, iedereen die er woont, en alle dieren moeten onvoorwaardelijk worden omgebracht.' Getekend: Jahweh. Als bonus had Younes nog Jeremiah 48:10: 'Vervloekt is wie de opdracht van de Heer halfslachtig uitvoert, vervloekt is wie zijn zwaard het bloed ontzegt.'

De waarheid was dat Younes de vleesgeworden integratie vormde. Vlaams als een knotwilg, verlichter dan een Marokkaan ooit zou kunnen zijn. Toen ze allebei naar de universiteit gingen, werd dat iedereen eindelijk duidelijk, en had elke betrokkene, zelfs Younes' vader, zich bij het onvermijdelijke neergelegd. Younes werd bioloog, schreef een scriptie over evolutionaire ecologie en begon een carrière als auditor in de voedingssector. Toen doctor Eleonora terugkeerde uit Nijmegen waren ze nog altijd samen, en hoopte haar moeder stiekem op een spoedig huwelijk en nakomelingschap.

En toen kwam de aanbieding van de Ensor Hogeschool.

Eleonora borg haar jekker weg en zette water op het vuur.

Ze hing een theebuiltje in een kop, ging zitten.

Waarom? De vraag kroop weer in haar hoofd terwijl ze wachtte.

Een relatie van twaalf jaar. Waarom?

De prikkel van het nieuwe, de verboden vrucht? Gewenning, verveling? Verwaarlozing door Younes, de workaholic? Te weinig interesse van zijn kant voor haar werk? Wat zij, omgekeerd, nooit had verzuimd. Het plotse besef dat ze nog kinderen waren toen alles begon? Dat hun verhouding gestoeld was op onrijpheid, onnozelheid? Dat ze nooit had kunnen vergelijken, nooit de lakmoestest van andere verhoudingen had ondergaan?

Ze twijfelde. Dacht aan woorden van Jonathan: 'Geluk, liefje, is niet van je droom realiteit maken, maar van de realiteit je droom.'

Was ze uitgedroomd met Younes?

Welke fantasmen had die oudere, licht obese man die opeens in haar leven verscheen, tot leven gewekt? Welke realiteit had hij beloofd?

De ketel zong. Het kwam allemaal terug: Jonathans tsunami van cadeautjes, attenties, complimentjes. Zijn oeverloze aandacht, zijn (één keer zelfs letterlijk) knieval voor haar, zodat ze het gevoel had gekregen werkelijk een uniek wezen te zijn, een neergedaalde engel voor wie mannen álles deden, zelfs hun baard afschoren – als afvallige profeten.

Ze glimlachte toen het beeld weer voor haar ogen verrees: Jonathan opeens met babyface in de docentenkamer. Alsof hij uitkeek boven een naakt kontje in plaats van een kut. Een week later waren ze een stel.

Had ze spijt?

Nee.

Toen kwam Younes' stem terug, zijn laatste telefoontje.

'Ik vermoord je!'

Ze huiverde, hoorde dat het water kookte.

8

Het was zijn voogd.

'Angelo! Corneel hier. Alles oké?'

Angelo's hart miste een slag. Hij onderdrukte een vloek. Het leek alsof oom Neel, die in geen maanden meer iets had laten horen, opzettelijk nu belde, opzettelijk nu zijn nummer had gedrukt, om hem – die zo vreesde/verwachtte/hoopte Thaïs aan de lijn te krijgen – deze anticlimax te bezorgen.

'Prima, oom Neel.'

Klootcompostueel.

De hele familie zei 'Neel', behalve Neel zelf, die zichzelf consequent Corneel noemde. Zo stond het op zijn identiteitskaart, zo signeerde hij zijn doeken: Corneel C. Die laatste C schoot onderaan in een scherpe U-bocht door naar links, zodat 'Corneel' op een dikke streep kwam te staan. Een slee, dacht Angelo, telkens als hij de signatuur zag. Corneel op een ouderwetse, paardeloze arrenslee.

Om een of andere reden had hij in 'Neel' altijd iets vrouwelijks gehoord. Dat Neel, de oudste broer van zijn vader en intussen al een stuk de vijftig voorbij, nog altijd vrijgezel was, leek daar consistent mee.

'Nog altijd bij Bravo, Angelo?'

'Ja.'

'Leuke job?'

'Jawel.'

'Vasthouden. Kleinhandel, distributie: betrouwbare sector.'

'Zeker.'

'Appartement: schiet een beetje op?'

Oom Neel sprak zoals hij schilderde: elliptisch, contouren aangevend eerder dan vlakken vullend. Ook als opvoeder had hij die instelling gehad. Angelo kon zich geen uitgesponnen sermoenen herinneren, zelfs niet bij het meest rampzalige schoolrapport. Wel duidelijke hints: een klap tegen zijn kop toen hij betrapt werd op diefstal van een Bach-biografie in de Fnac. Angelo had dit nooit als mishandeling aangevoeld, gewoon als een verlengde van oom Neels artistieke beginselen: het idee in plaats van de esthetische details. Als boekhouder volgde oom Neel hetzelfde stramien: geen enkele revisor had hem ooit op fiscale cosmetica kunnen betrappen. De nulrente die hij zijn neef rekende voor zijn appartement-in-(eeuwige)-wording, plus de aanvaarding van Angelo's flagrante gebrek aan respect voor afbetalingstermijnen, waren in dat opzicht kleine dissonanten. Geen zakenman met enige beroepseer zou dat geslikt hebben. Maar Neel deed het, en Angelo vergaf het hem graag.

'Bwa,' zei Angelo. 'Niet veel tijd gehad de laatste tijd.'

Aan de andere kant van de lijn manifesteerde zich een geluid dat Angelo herkende. Een korte luchtverplaatsing, als uit de slang van een ondermaats fietspompje. Het wanhoopssignaal van oom Neel. Angelo had het vaak gehoord. Bijvoorbeeld de dag waarop hij aankondigde kunstgeschiedenis te willen studeren. Interessant, had

Neel gepuft, maar wat koop je ervoor? Jouw schilderijen bijvoorbeeld, had Angelo gezegd. Nieuwe luchtverplaatsing – iets langduriger nu, alsof de stekelige repliek een extra gaatje in de slang had geslagen. Daarna hoofdgeschud. Theater, had Angelo gedacht. Die kalende kop, waarin het watermerk van zijn vaders gezicht schemerde, ging minstens evenzeer over en weer uit frustratie als uit vertwijfeling over hem. Frustratie over de eigen slappe ruggengraat, die Neel al heel zijn leven verhinderde keuzes te maken, waardoor hij tot aan het graf het tweeslachtige wezen zou blijven dat overdag facturen boekte en 's nachts veranderde in een kloontje van Yves Klein. Je doet het bewust, ververtje, had Angelo gedacht. Je laat bewust deze kans liggen om mijn studiekeuze als blijk van solidariteit op te vatten. Want dat zóú je kunnen, mocht je het willen. En misschien zou je er niet eens zo ver naast zitten. Ik, samen met jou op de barricaden. Wat is daar verkeerd mee? Maar nee, je trekt liever de kaart van de bezorgde, plaatsvervangende, a priori geëxcuseerde ouder.

'Zo,' zei Neel, 'niet veel tijd. Vrouwen?'

'Gaat je niet aan, oom Neel.'

'Sorry.'

'Niet erg.'

Angelo zuchtte. Lang boos blijven op zijn oom kon hij nooit. Neel was te aardig. Op zijn eigen, onuitstaanbare manier. Als Neel zich verzette, was het meestal pro forma, om zichzelf de illusie te gunnen dat hij gewicht in de schaal wierp. Ook de klappen die hij uitdeelde hadden altijd dat rituele laagje gehad: telkens dezelfde, halfharde tik tegen het achterhoofd, waarna Angelo nauwelijks meer hoefde te doen dan het elastiekje rond zijn paardenstaart weer aan te spannen om de zaak vergeten te zijn. Goed dan, had Neel gezegd, kunstgeschiedenis dus. Als er maar niet gebuisd wordt. Toen de kunstgeschiedenis een week later, onder Marloes' impuls, opeens in wijsbegeerte veranderde, slikte hij, onwetend over de aanleiding, ook deze koerswijziging, hoewel hij wijsbegeerte qua marktwaarde nog krankzinniger vond. Maar evengoed zou hij een master saffraanwinning of vingerhoedrecyclage geslikt hebben. Hij was ook nooit meer op de kwestie teruggekomen, zelfs niet toen een 'Zie je wel?' zo gemakkelijk werd (en nog altijd was), na de breuk met Marloes en Angelo's aansluitend gezwalp op de arbeidsmarkt.

'Solliciteer je nog?'

'Ja, hoor.'

'Veel brieven de voorbije maand?'

'Drieëntachtig.'

'Drieëntachtig?'

'Drieëntachtig.'

Angelo kreeg het schilderij voor ogen dat Neel hem geschonken had bij zijn diploma-uitreiking. Een herneming van Monets *Impression*, maar dan zonder kleuren. Zonder boten ook, en zonder sloepjes. Zonder iets, eigenlijk, wat de idee van een haven zou kunnen opwekken. Een wemeling van stippen en strepen in alle mogelijke tinten grijs, waarin centraal een haarscherp afgelijnde cirkel was uitgespaard rond een kalligrafische Z en N. Angelo had twee minuten, én een tip van Neel nodig gehad om hieruit, samen met de O van de cirkel, de 'zon' te construeren die de kunstenaar bedoeld had. De rijzende zon van zijn beginnend, zelfstandig leven. Neels stem had er wat bij gebeefd, vooral toen hij bekende (na het derde glas cava) dat het concept 'zon' tijdens de creatie van het doek ook opeens een 'conjunctie' was aangegaan met het concept 'zoon' – wat hem onmiddellijk had overtuigd van het legitieme van zijn project, met name omdat de ontbrekende o perfect weergaf dat Angelo niet zijn 'echte' zoon was, maar slechts een, een... Enfin, hij wilde niet sentimenteel worden maar...

In de stilte die zijn geslik had veroorzaakt, had Angelo hem opeens omhelsd, om redenen die hem nu, terwijl hij het moment weer beleefde, net zo onverklaarbaar bleven als toen. De rillingen langs zijn ruggengraat leken een ogenblik minder het gevolg van de kou, dan van de herinnering aan die twee seconden waarin hij Neels benige anatomie in zijn armen had gehouden, en geschrokken was van de hulpeloze kwetsbaarheid die hij erin voelde: alsof hij een grote, lamme vogel overeind hield die tegen een glazen deur was gevlogen.

'En jij, nog exposities in het vooruitzicht?' vroeg Angelo.

'Nee,' zei Neel.

'Hou je me op de hoogte?'

'Zeker weten.'

Hij passeerde twee jongens die een sigaret rookten bij de deur van een café. De een droeg een leren jekker, de andere een sweater waarvan hij de kap diep over zijn hoofd had getrokken. Witte kapitalen op zijn smalle borst. FUCK YOU YOU FUCKING FUCK!

Zijn telefoon zweeg en bleef zwijgen, tot slechts vijfhonderd meter hem nog scheidden van Tonia's flat. Hij had het intussen zo koud dat zijn tanden naar klapperen neigden.

Toch bleef hij staan bij de etalage van Bounty Travels, het laatste excuus voor een halte en een finale bezinning. Terwijl zijn geest een scan maakte van alle mogelijkheden om wel of niet terug te keren naar Tonia, én van de bijhorende consequenties, keek hij, slechts half registrerend wat hij zag, naar de aanbiedingen achter het glas. Blauwwitte palmenstranden, vulkaanachtige zonsondergangen, skiërs met turkooizen gletsjers in hun sneeuwbril, mensen op kamelen, regenboogcocktails.

En een videomontage over Alaska. Cruise van tien nachten, vertrek San Francisco, 15 juni. *'Go North!'*

Speciale aanbieding.

Hij ademde diep. Hij wist dat hij gerold werd, dat de foto's van bronstige elanden, flakkerend noorderlicht, blanke bergtoppen in de strakke spiegeling van blauwe meren, witte beren, visarenden, poolvossen, stuivende huskiesledes, buitelende bultruggen en eindeloze dennenwouden geshopt waren. Dat die hele wereld van pure, ijsgekoelde ongereptheid een door slimme marketeers samengeplakte illusie was. Dat het gigantische schip, met zijn zwembad, zijn zonnedek, zijn kathedraalachtige restaurant en bioscoop, bij betreden vol vervelende en lawaaierige mensen zou blijken te zitten, met foute broeken en walgelijke BMI's. Dat je er zeeziek zou worden. Maar toch wou hij er opeens heen. Wou aan boord van dat schip. De huiveringen van zijn vel waren opeens geen gevolg meer van zijn minimale kledij, maar van een anticipatie op wat hem daar wachtte: een andere planeet, ruimte, nooit geademde lucht, nooit gevoelde wind, nooit gehoorde klanken.

Tonia had gehuild.

Hij sloot haar in zijn armen en zei dat het hem speet. Heel, héél erg. Ze liet begaan, en de langzame, ritmische schokjes van haar nieuwe tranen, de jasmijngeur van haar krullen, het warme moederlijf tegen zijn verkleumde ribbenkast – het voelde allemaal zo goed, en in orde, dat de kamer verzonk in een tijdloze dimensie, een toestand van voor de zondeval, toen alles nog was zoals bedoeld, met harmonie in kosmos en omstreken, voor altijd en eeuwig, en eeuwig en altijd. De warmte deed zijn lichaam zwellen, zoals lichamen doen bij stijgende temperatuur, en hij voelde zich uitgroeien tot vaderlijke grootheid, tot patriarchale omvang – een figuur die troost biedt, bescherming, dammen opwerpt en wegleidt uit de woestijn.

Ze bedreven de liefde.

Daarna luisterden ze naar muziek: Branduardi – hij had erop gestaan, net zoals hij zich tijdens het vrijen onder haar had gewrongen, bereden wou worden ten teken van onderwerping, niet protesterend toen ze als een rodeoruiter tekeerging, zich vastklauwend in zijn nekhaar, terwijl haar borsten zijn kaken geselden. Daarna een deeltje Mahler – ook zij stond erop. En de tweede keer klonk het al helemaal anders, zei ze, zag ze de diepgang, kon ze zich voorstellen dat ze dit zou leren appreciëren. Het zou wennen vragen, maar onder zijn leiding was ze tot veel in staat, tot alles.

Ze vielen in slaap, zijn brein hoorde in een wazig stand-by hoe de automatische wisselaar van Mahler doorklikte naar Bruce Springsteen. Hij schrok wakker bij 'Born in the USA'.

Tonia vloog op van de bank, draaide het volume terug.

'Sorry,' zei ze.

Angelo lachte. Bruce moest het horen: the Boss, die duizenden vrouwen tot extase had gebracht, hier het voorwerp van een verontschuldiging, door een vrouw. Te zijner – Angelo's – ere. Zoals iemand zegt: Let niet op mijn kinderen, ze zijn een beetje druk vandaag.

Tonia kwam weer naast hem liggen. Ze praatten, hij vertelde over de etalage bij Bounty Travels. Zijn plotse aandrang in te schepen. Maar het is al over, zei hij. Een korte opstoot van *Fernweh*, uitgelokt door hun ruzie. Of de whisky van de Je t' Aime Moi Non Plus.

Hij moest toelichten wat *Fernweh* was.

'Dat heb ik ook soms,' zei Tonia. 'Al mijn hele leven. Als kind kon ik zo verlangen naar verre landen dat het inderdaad leek op heimwee. Japan, bijvoorbeeld. Ik had een boek met Japanse sprookjes, over betoverde eekhoorns en geisha's aan het keizerlijk hof, en ik verging van verlangen. Ik beeldde me in dat ik eigenlijk een Japans meisje was dat door smokkelaars ontvoerd was en naar België gebracht. Ik speurde mijn gezicht af in de spiegel, op zoek naar restanten van spleetogen. Want die hadden mijn ouders laten verwijderen.'

Angelo schudde zijn hoofd.

'En dat ik een kleine schoenmaat had, vond ik de evidentie zelf. Toen ik eindelijk Japan bezocht, op mijn dertigste of zo, samen met Willem, kon ik er niet vlug genoeg weg. Te veel Japanners, te heet.'

Heimwee naar een plek waar je nooit was, dacht Angelo. Dat is zoiets als de nasmaak van een gerecht dat je nooit proefde. De oorworm van een lied dat je nooit hoorde. Hij kon het zich allemaal perfect voorstellen. Muziek kon hem doen verlangen naar duizend dingen waarvan hij nooit precies wist wat het was, en toch sneed dat gemis bij momenten zo diep dat de tranen hem in de ogen kwamen. Wat voor een brein had de mens meegekregen? Wat was in godsnaam het evolutionair voordeel van dit soort geintjes?

'Dat denk ik soms in Brugge,' zei hij.

'Wat?'

'Te veel Japanners.'

Ze lachte. Vond ze de grap geslaagd? Hij keek opzij, maar haar gezicht was te dichtbij om de mimiek te kunnen lezen.

Hij kuste haar.

Gevoel voor humor was belangrijk. Een legitimatie van wat hij zichzelf al van in den beginne (zij het met wisselend succes) had voorgehouden: hun relatie was, ook vanuit zijn standpunt, op meer dan louter seks gestoeld. Er was een intellectuele connectie. Wat hij anderzijds ook weer jammer vond. Een puur fysieke band had, in zijn evaluatie ervan, iets bekoorlijks, iets uitdagends, iets wat beantwoordde aan het beeld dat hij bij momenten van zichzelf koesterde: de koele, aan-mijn-lijf-geen-polonaiseman, de Angelo neanderthaliensis.

'Maar wie is hier de schuldige?' zei Tonia.

'Hoezo?'

'De Japanners, of Brugge?'

Hij zweeg.

9

Niet tellen, dacht Reinoud, terwijl hij de opschriften las.

Toch had hij weer elfmaal *Hier rust...* gezien op de zerken in Mariannes gang, voor hij stilviel bij de marmeren plaat met haar foto. *Marianne Barneveld, echtgenote van Reinoud De Groote.* Met hoofdletter D. Hij werd er nog altijd niet warm of koud van. Herinnerde zich het waas van die verschrikkelijke dagen. Zijn verzet tegen een kerkelijke uitvaart, zijn pleidooi voor crematie en verstrooiing. Carla, en vooral Willy, wilden er niet aan, hoe hard hij ook argumenteerde. Marianne zou het zo gewenst hebben, zei Reinoud. Heeft ze dat ooit gezegd? had Willy gevraagd. Hebben jullie dat doorgesproken? Reinoud moest toegeven van niet. Sterven was, tot 6 augustus 2004, iets wat anderen deden.

Uiteindelijk was hij bezweken, futloos, beroofd van elke motivatie voor wat dan ook. Te moe en leeg om zelfs maar te kunnen zeggen dat hij zich moe en leeg voelde. Lafhartig had hij alles aan Willy overgelaten, met als gevolg die 'De' in zijn naam, waar het 'de' moest zijn, en het ambtelijke 'echtgenote' om zijn relatie met Marianne aan te geven. 'Wederhelft' was natuurlijk nog gruwelijker geweest, of 'eega' (ook daartoe achtte hij Willy in staat), maar een echtgenoot had hij zich nooit gevoeld. Man, geliefde, *soulmate,* partner desnoods. Maar niet 'echtgenoot' – die verleden tijd van 'echt geniet', zoals Adriaan, Grote Khan van de Groene Hoed, die twee vechtscheidingen overleefde, ooit opmerkte. (Leefde Marianne toen nog? Was ze erbij?)

Desondanks, toen het allemaal in op de eeuwigheid berekend marmer aan zijn voeten lag, had hij gezwegen. Had geen nieuwe zerk geëist, geen correctie, had Willy zelfs niet op de spelfout gewezen. Had zijn huivering onderdrukt bij het *Hier rust...* en bij de foto. Op een zerk hoorde geen foto: wie voor een graf stond en geheugensteuntjes nodig had, had geen recht om er te staan. Het was nochtans een schrijnend mooie foto, en ook nu weer greep ze Reinoud bij de keel. Hij hoorde de stemmen van toen op de achtergrond, rook gebakken wafels, zag het zonlicht wemelen in de vijver van Mariannes broer, waaromheen de kinderen renden voor wie iedereen gekomen was.

Reinoud nam zijn zakdoek, sloeg dode takjes en naalden weg.

Haar glimlach, haar ogen. Hij probeerde ze te ontwijken. Wist dat ze niet op hem gericht waren, maar op de kinderen bij het water. Feeërieke wezens in popperig tule, met bloemetjes in het haar en gestrikte linten. Matroosjes in Disney-design. Het soort wezen dat zij nooit zou kunnen krijgen – niet via haar eigen lichaam. Het soort wezen dat eigenlijk ook niet bestond, had Reinoud vaak betoogd. Een kinderwens was – los van biologische klokken – slechts een wens naar mythische, nooit te realiseren zuiverheid. De wens naar een Verloren Paradijs, met vlinders en aaibare tijgers. Een weigering de wereld te zien zoals hij was: een als ontvangstzaal vermomde kerker, die niemand levend verlaat.

Reinoud veegde het glas schoon.

'Sorry,' zei hij. 'Sorry voor al dat gedaas.'

Hij kwam moeizaam overeind, met een knakkend kniegewricht. Bleef nog even staan, alsof hij bad. Noemde haar de beste moeder van alle ongeborenen. Dankte haar uit hun naam.

Toen vertrok hij, optornend tegen een strakke wind.

Twee paravliegers, ver weg boven de Watersportbaan. Net hoorbaar, als nijdige muggen.

Nog een maand voor het lente werd.

Opnieuw elfmaal *Hier rust...*

Bullshit, zei hij. Jullie zijn gewoon dood.

De moeder van al wie al eonen en eonen popelend tussen de sterren stond, vergeefs wachtend op de levensvonk. Gedoemd tot niet-geboorte. Niet-geboren-worden-kunnend, zoals 'sterfelijk' betekent: niet-blijven-leven-kunnend. 'Genese-impotent.'

Over dat soort semantiek zouden Marianne en hij uren hebben doorgedramd, bij wijn en knetterend haardvuur.

De autoradio bracht nieuwsflitsen uit Vlaamse steden, waar carnaval hoorbaar tussen de gevels hing. Dat alleen carnavalisten begrepen wat carnaval was, schreeuwde een hese stem. En dat carnaval altijd zou blijven bestaan. Altoid!

En opeens schoot Reinoud door het hoofd wat hij had moeten zeggen tegen Willy. Ja, we hebben dat doorgesproken. Niet letterlijk, maar Marianne had een hint nagelaten. Het verhaal van Joyce Maynard, de Amerikaanse schrijfster die ze ooit had proberen te strikken voor een interview in *Promenade*. Ex-minnares van J.D. Salinger.

Marianne las haar autobiografie, tot tranen toe geroerd door de passage waarin Maynard vertelt over de verfilming van haar roman *To Die For*. Hoe ze een piepklein rolletje voor zichzelf afdwong, naast Nicole Kidman, en een hartenwens van haar dode moeder vervulde door tijdens de opname haar as in een tas met zich mee te dragen. Zo bezorgde ze de afgestorvene, die er een leven lang niet in geslaagd was haar brandende podiumambities waar te maken, alsnog de eer van een rol in een prestigieuze Hollywood-productie.

Als dat geen ode aan de crematie was.

Maar hij betwijfelde of Willy daarvoor geplooid zou zijn.

Verbranding was voor huisvuil, vond Willy.

De deurbel, en drie getuigen van Jehovah, bijbel in de hand.

'Toch iets warmer vandaag, meneer!'

'Ja.'

En of ze hem kort mochten spreken over het boek van de Heer, op deze aan Hem gewijde dag.

'Nee, liever niet. Maar zeg Hem dat ik Hem bedank voor het zonnetje.'

Ze konden erom lachen.

Hij rommelde wat op zijn bureau, klasseerde post. Een zoveelste stuk voor zijn pensioendossier. En weer dat beetje schaamte: nu al gestopt met werken, terwijl regeringen over heel Europa zich het hoofd braken over hoe mensen langer aan de slag te houden. Lezersbrieven van millenniumjongeren in zijn krant: dat die grijzende (grijnzende) babyboomers wat minder hoog van de toren moesten blazen. Salonrevolutionairen tijdens de Summer of Love, daarna leraar of bankfiliaalhouder, en zodra het kon op hun luie krent, profiterend van sociale systemen die enkel dankzij 'ons' zweet nog betaald konden worden.

Ze hebben gelijk, dacht Reinoud.

Hoewel: salonrevolutionair was hij nooit geweest. Hippie evenmin. De Summer of Love had hij hoogstens akoestisch meegemaakt, terwijl hij eerst in een ziekenhuisbed, later in zijn eigen bed, bekwam van een klierkoortsopstoot-met-terugval-en-complicaties. Bijna zestien, en in een verduisterde kamer de zonder verpozen aangevoerde drankjes van zijn moeder drinken, van druivensap tot anijsmelk, en luisteren naar Radio Veronica op een krakend transistorradiootje. Moe, moe, en zijn gezicht *a whiter shade of pale.* Af en toe een vriend op bezoek: boodschapper van de buiten de muren woedende oorlog om de heetste, knapste, benaderbaarste grieten. Want de wereld had die beslissende bocht genomen: vanaf nu zouden niet meer Benfica, scouts of racefiets het centrum der dingen vormen, maar de vrouw. Gek werd hij van het besef daar weerloos als een lijk in zijn bed te liggen en zijn krijgskansen niet te kunnen verdedigen. Stapelgek wanneer berichten binnenliepen over veroveringen van bastions die híj had willen bestormen, vooral als de verovering bewerkstelligd was door een partij die, volgens zijn eigen inschatting, niet eens een partij was, en die hij, bij gezondheid van lijf en leden, met één armzwaai van het slagveld had kunnen vegen.

Hij opende de map Brugpensioen, stak de brief ongelezen bij de rest.

De koffie smaakte, de middagzon duwde de wereld

door elk venster naar binnen, en hoewel het schuldgevoel op de achtergrond bleef opspelen, kon hij zichzelf niet verhinderen te genieten van de bedrieglijke lentetaferelen, waar hij ook keek, van de zee van tijd die zich voor hem uitstrekte, van het besef dat hij de volgende ochtend in geen enkele van de files zou staan die zijn radio zou opsommen, niet verwacht werd op een vergadering met bittere koffie en taaie PowerPoints, en hij was bijna dankbaar dat de Texaanse hoofdzetel van zijn ex-bedrijf België had uitgekozen toen beslist werd dat het hakmes diende te vallen in Europese vertakkingen.

Zijn eindeloze geruk tijdens de klierkoorts. Zodat zijn gezicht nog grauwer kleurde als zijn moeder de kamer binnenkwam met een schaaltje druiven en hij paniekerig de lakens over het *Kwik*-nummer trok en een min of meer evidente houding probeerde aan te nemen.

De geur van drogend zaad.

De Martinuskerk sloeg halfeen, Reinoud hoorde een verre automotor en constateerde opkomende geilheid. Misschien werd het weer tijd voor een afspraak in de Orinoco. Hij keek naar zijn laptop, het stickertje dat hij over de webcam had geplakt, dacht aan nieuwjaarsochtend en de halve dag die het hem had gekost om een Russisch politievirus van zijn toestel te halen. Zichzelf getrakteerd op een sessie digitaal geïnspireerde monoseks, uit ellende over de Sylvesternacht die hij in eenzaamheid bij de tv had doorstaan. Murw van de aanblik van kegelhoedjes, roltongen en serpentines was hij kort na twaalf uur in bed gekropen en fris als een Engels haantje wakker geworden. Erectie uit de gouden jaren. Laptop aan (hetzelfde schuldgevoel als waarmee hij destijds de *Kwik* openvouwde),

YouPorn, en opeens waren de lillende vleeswaren weggefloept en verscheen er een bericht vol taalfouten met de melding dat zijn computer door de politie geblokkeerd was wegens bezoek van illegale websites en dat, tenzij hij binnen drie dagen 200 euro stortte, zijn zaak naar het parket zou worden doorgestuurd.

De soa's van het derde millennium: geen pus of puisten, maar een bevroren scherm. Geen antibiotica, maar *rescue disks*.

Een week later had zijn prostaat hem kreunend naar de telefoon doen grijpen. Gevolg van het bedorven orgasme, had hij een moment gedacht. Als klaarkomen de gezondheid van de prostaat bevorderde, zoals het wetenschapskatern van zijn krant voorhield, dan kon zo'n interruptus alleen maar tot het omgekeerde leiden.

Panta rhei, alles moest vloeien, of de bedding van de wereld raakte verstopt.

Reinoud nam zijn telefoon en belde de Orinoco, Mariannes blik onder de dromenvanger ontwijkend. Voor de staat van mijn prostaat, murmelde een stem in zijn achterhoofd. Het stoute kind dat zijn fronsende moeder aan het lachen probeert te brengen.

De zaak was binnen een minuut geregeld.

Reinoud ging voor de foto staan. Zei sorry. Kuste de glimlach, liet zijn vinger cirkels trekken rond het oor waar de kersentooi als gloeiende klootjes omheen hing. Ik zoek San Francisco voor je uit, zei hij. Ik verklaar jou die boom van je grootvader. Dat beloof ik.

10

Ze hadden afgesproken in een brasserie bij het Kursaal. Vriendinnen die ze om het halfjaar zag. Gezichten uit haar tienertijd: school, de scouts. Meestal vertrok ze met lichte tegenzin, en meestal viel het mee. Nu weer: dezelfde herinneringen, dezelfde anekdotes, maar op een of andere manier gingen die niet vervelen, zoals ook mythen blijven meegaan. En de wijn bij de slaatjes hielp.

Daarna een film: *The Iron Lady*. Napraten bij een koffie in de lounge, waar het gesprek, ook volmaakt voorspelbaar, al na tien minuten op het moederschap belandde. Drie van de vier waren jonge mama's. Verhalen over eet-, school-, gedragsproblemen. Hilarische voorvallen, grappen, bewijzen van premature wijsheid of creativiteit. Eleonora hoorde het glimlachend aan: hoe de nieuwe mythen werden gecomponeerd.

'En jij, Albatros, nog altijd geen nestdrang?'

Ook dat hoorde erbij, elke keer, inclusief haar totemnaam bij de scouts. Nee, zei ze. Maar het komt wel. En als ik Thatcher zie, heb ik geen reden om iets te forceren.

Haar poging om het weer over de film te hebben werd even opgepikt, maar spoedig tolde het gesprek, als een rouletteballetje naar het centrum van de draaischijf, onvermijdelijk weer in de richting van de kinderen, hun wezen, lijf en geest, hun woordjes, boertjes en geurtjes, hun vreugden en verdriet, waarover zij, Eleonora, als ter zake gediplomeerd expert, geacht werd professionele adviezen te kunnen geven.

Ze was blij toen ze zonder te liegen kon opstaan en zeggen dat ze een Skype-afspraak had met Jonathan. Ze kusten luidruchtig elkaars wangen en zwoeren spoedig wederzien.

Buiten was de zon doorgebroken, een verblindende bal boven de westelijke zee, die haar ogen pijn deed. Maar het vulde haar met dankbaarheid.

Jonathan zag er moe uit. Wat hij ontkende. Maar er waren problemen met de afvoer in zijn keuken. Hoorde ze het lawaai? Dat was Conny, de *janitor*, die de zaak aan het bekijken was.

'*Say hi to Nora, Conny!*'

'*Hi, Nora!*'

De stem kwam van heel ver. Ze riep '*Hi, Conny!*' terug.

'De janitor is een vrouw?'

'Ja, een *janitress* dus, eigenlijk. Een schat. Maar zo...' – Jonathan bracht zijn mond tot bij de camera, zodat hij een chimpansee leek, en lipte een woord dat niet anders dan *lesbo* kon zijn – '...als een poederdoos. Dus maak je geen zorgen.'

Ze glimlachte. Dacht: hij noemt me Nora, tegenover anderen. Het was de eerste keer dat ze dit woord hoorde. Vóór hun relatie was ze Eleonora, voluit, daarna ging hij over tot allerlei koosnaampjes. Schat, sweetie, mopje, kiddo. Tegenover derden bleef hij Eleonora zeggen, althans in haar bijzijn. Hoe hij over haar sprak in haar afwezigheid kon ze niet weten. Ginder was ze dus 'Nora'. Wat ze oké vond, maar wat haar op een bepaalde manier ook stak. Hoorde ze daar geen inspraak in te hebben, het goedgekeurd te hebben?

Ze praatten, over *The Iron Lady*, over zijn colleges, over Alcatraz, dat hij nog altijd niet bezocht had. En opeens riep Conny iets, en moest hij dringend weg. 'Sorry, sweetie! Ze heeft ... aan de telefoon.' Ze verstond de naam niet. 'Ik bel morgen, oké?'

Een vlugge kushand kwam haar richting uit, hij verdween van het scherm.

Ze bleef zitten, een beetje perplex.

Nou, dat ging snel, dacht ze.

Ze mijmerde nog even over dat 'Nora', en over het feit dat – wat ze zich nu pas realiseerde – hij het met die Conny al vaker over haar moest hebben gehad. '*Say hi to Nora*' liet geen andere interpretatie toe. Wat had hij over haar gezegd? Gewoon dat zijn vriendin zo heette? Of sprak hij ook over haar gewoontes, voorkeuren, hebbelijkheden? Wie nog allemaal in San Francisco en omstreken wist intussen van haar bestaan af, en welk beeld hadden ze zich van haar gevormd? Hoe leefde ze daar aan de westkust?

Je bent gek, zei ze.

Ze ging naar de badkamer, draaide de kraan open.

In de keuken schonk ze zich een glas wijn in, ging bij het raam zitten.

Alweer wolken tussen zon en aarde. Dichttrekkende duisternis. De verre lichtpuntjes van schepen, onderweg op de zwarte zee, hoewel die beweging met het oog niet te onderscheiden viel, enkel te veronderstellen. Onderweg waarheen? IJslandse visgronden? Hete containerhavens in het Verre Oosten? San Francisco? Wie had de bemanning achtergelaten en voor hoe lang? Hoeveel mannen zaten er in zo'n schip, samengeperst – vanuit haar perspectief – in het lichtpuntje als in een singulariteit, wachtend op inflatie?

De waterstraal in de badkamer kletterde verder en de melancholie van de zondagavond sloeg opeens toe. Ze voelde de behoefte aan een dam tussen haar en de naderende maandag. Een bestendiging van het welbehagen van de middag, de warmte van lunch en film, het gesprek met Jonathan. Morgen zich weer opladen voor de ratrace: het leek even zo onoverkomelijk dat een paniekgolf haar doortrok. De portfolio's die wachtten, de evaluaties, de actieplannen, de steeds maar groeiende studentengroepen met steeds diversere noden en steeds brutalere monden.

Ze bladerde door een magazine, tot haar bad vol was.

Ze stapte over de rand en liet zich neer, snakkend naar adem. Ze voegde koud water toe, sloot haar ogen.

Ze probeerde in te dommelen, maar dat lukte niet. Jonathan, Nora, Thatcher. Het oude, in een sjaal geknoopte hoofd van IJzeren Maggie, speelbal van alzheimerstormen. Verdwalend in herinneringen, heden verwarrend met verleden, hopeloos in de weer met emoties die zich amper nog lieten ordenen rond de pieken en dalen van haar carrière. Congressen, oorlog. '*Gentlemen, the islands belong to Britain and I want them back!*' Brieven aan moeders van onder Argentijns vuur gevallen soldaten. Eleonora's gedachten gingen naar haar eigen Falkland-moment: haar besluit Younes te verlaten. Hoe accuraat waren háár herinneringen? Wanneer precies was de kogel door de kerk gegaan? Ze schaamde zich toen ze telkens weer bij de ochtend uitkwam waarop babyface Jonathan in de docentenkamer verscheen. Was dat werkelijk het kantelpunt geweest? Zo simpel, zo stereotiep? Zij, zo lijmbaar dat een man niets anders hoefde te doen dan zijn baard af te scheren om haar binnen te rijven?

Een schuimvlok kittelde haar neuspunt; ze wreef die weg, kreeg schuim in haar oog. Ze depte met een washandje, dacht aan het moment dat ze Younes op de hoogte had gebracht. Jonathan en ik accorderen, had ze gezegd. We kunnen ontzettend goed praten. – Wij dan niet? – Jawel. Maar hij geeft me de indruk dat mijn mening belangrijk is, dat ik dingen vertel die relevant zijn. – Ach zo. En ik niet? – Niet altijd. – En waarover praten jullie? – Alles: het vak, politiek, kunst. De depressies van zijn moeder. – De depressies van zijn moeder? – Ja. – Een teiltje, alsjeblieft.

Ze nam de badborstel, schrobde haar schouders, haar hoofd vol echo's.

Jonathan: Geloof jij in OAG als *trait marker* voor depressie?

Zij: In wat?

Jonathan: OAG. Overalgemeen Autobiografisch Geheugen.

Zij: Ken ik niet.

Jonathan: Iemand met OAG heeft weinig specifieke herinneringen. Vraag hem één ongelukkige gebeurtenis uit zijn jeugd op te roepen, en hij komt in de problemen. Vraag naar iets wat hem herhaaldelijk ongelukkig maakte, en hij kan het meteen. Het wekelijkse vertrek naar de kostschool, bijvoorbeeld.

Zij: Oké.

Jonathan: Volgens de therapeut van mijn moeder vertonen depressieve patiënten opvallend vaak OAG.

Zo had hij het haar verteld: dat zijn moeder in behandeling was. Ook een trucje? De lijm van de intieme info, die de ontvanger het gevoel van uitverkiezing verschaft, hem (haar) binnentrekt in een verbond van gedeelde geheimen? Ze liepen door een kasteelpark, tijdens de lunchpauze van een studiedag. Herfstbladeren ritselden onder hun voeten, in nazomerse temperaturen. Ze had zich geschaamd niet te weten wat OAG was. Had gegrapt dat het niet voor haar kennis pleitte, maar wel voor haar karakter dat ze dit toegaf. En verder had ze gezegd dat het belangrijkste was dat zijn moeder geholpen werd, niet de academische debatten tussen hem en de therapeut.

Een teiltje, alsjeblieft.

Maar Jonathan leek getroffen. Hij droeg een lichtblauw hemd en een beige broek. Zijn zonnebril stond omhooggeschoven in zijn haar. Af en toe schopte hij een keitje van het pad. Ze herinnerde zich, haarscherp, in volle specificiteit, dat ze toen voor het eerst had gedacht: als hij me nu probeert te kussen, verzet ik me niet.

Later, op de sofa, in haar rode badjas, nagloeiend van het bad, derde glas wijn in de hand, de zen van een Chinese bamboefluit in de speakers, werd het een soort uittreding toen haar lichaam overeind kwam en naar de ladekast stapte.

Ze onderdrukte een neiging tot lachen terwijl ze onder de tafelkleedjes tastte en de vibrator uit de doos nam. Ze las de handleiding. 'Met deze nieuwe Swan Jumper 2 heeft u de juiste keuze gemaakt. Krachtige, duale stimulatie verzekerd. En je partner geniet mee.' Ze vroeg zich af wat duale stimulatie betekende. Tot ze de schets zag: Swan Jumper 2 bestreek desgewenst clitoris én vagina, in één moeite. Ze vroeg zich af waarom dit instrument een zwaan werd genoemd. Het deed haar eerder aan een leguaan denken. Waar en hoe had Jonathan de aankoop verricht? On line, in real life? Door wie was hij geassisteerd? Ze plaatste de batterijen, schoof de knop naar ON. Geschrokken zag ze de gevolgen, liet het monster bijna uit haar handen glippen, zoals een kind met een opgetilde cavia doet wanneer die opeens begint te spartelen. Haar hart versnelde en de giechel kwam toch.

Toen ze weer ging liggen en terug in de huid kroop die in de sofa was achtergebleven, nam ze een slok wijn, sukkelend met de Jumper, die ze in dezelfde hand hield, bijna morsend. Mieren in haar kruis, een hele kolonie. De bamboefluit tekende wuivende rietvelden op het behang. Ze schakelde in en zocht, blindelings, de meridiaan waar zonnende reptielen op het uur van de jacht lagen te wachten.

03:02 uur op haar wekker.

Alweer wakker. Of nog altijd wakker. Veel meer dan sluimeren had ze niet gedaan. Het vierde glas wijn, na de zwanensprong op de sofa, werkte niet. Te verward nog. Te schuldig. Zinderingen die nog nagolfden in haar tenen. Angst ook, stilaan, dat ze voor de rest van de nacht de slaap niet meer zou vatten, en doodmoe aan een manische maandag zou moeten beginnen.

Ze stond op, at een toastje met kaas.

Werken? Lezen? De zekerste weg naar een nooit meer af te zetten hoofd. Idem voor een (kortstondig overwogen) telefoontje naar Jonathan. In San Francisco was het nu zes uur. Veel kans dat hij thuis was. Weer thuis was: de afvoerproblemen schoten haar te binnen. Maar hij had gezegd: 'Ik bel je morgen.' Waarom eigenlijk? Het klonk, achteraf beschouwd, alsof hij liever had dat ze hem voor de rest van de dag met rust liet. Misschien was hij dus niet thuis.

Wat was 'thuis'? Wat deed hij normaal op zondagavonden?

Niet dat ze een excuus nodig had. Ze waren – *goddam it* (zijn zegswijze) – '*lovers!*' Als ze wou bellen, dan bélde ze. Ze zou hem kunnen melden dat zijn wens vervuld was. Dat ze erbij aan hem gedacht had, zoals voorgeschreven. Aan zijn walletjes, vetringen, zijn aardegeur, zijn pandavacht. Dat ze hoopte dat de *vibrations* waren doorgekomen. En de hele tijd zou ze beseffen dat haar verhaal meer een biecht was dan een intiem verslag. Niet het triomfantelijk halleluja van de ene geliefde naar de andere over hoe was tegemoetgekomen aan een lang gekoesterde wens, maar een bedekte vraag om vergeving. Camouflage van haar decorumverlies. En dus een impliciete knieval: biechten was onderwerping aan een autoriteit. 'Alleen de Heer kan vergeven,' aldus de boekjes van tante Rebecca. 'Want Hij alleen bezit de maatstaf van Goed en Kwaad.'

Eleonora klapte de koelkast dicht.

Beseffend dat in elk geval één element zou ontbreken in haar Confiteor: hoe onderweg, hoog in de waaiende rietvelden, opeens – één seconde maar – de penis van Younes was opgedoken, in al zijn rode, harde, exhibitionistische besnedenheid.

YouTube.

Teller naar 1:17.

'*Tomorrow I'll miss you...*'

Het verdriet van een man. Was dit ook een biecht? Wat gaf hij prijs? Welke Overspecifieke Autobiografie sprak uit deze zo wanhopig bevochten ontroering?

Ze las de commentaren bij het filmpje.

Een hele lijst: allemaal mensen die geraakt waren door de *vibrations* die hij, de manmoedige tranenbevechter, ongewild de cyberruimte in had gestuurd.

'Moest zelf bijna janken!'

'Heb ergens gelezen dat z'n vrouw net gestorven was, en "All My Loving" was hun liedje...'

'Zoveel gelukkige mensen...! Ik wou dat ik erbij was geweest...!'

'Paul!'

'Daarom is Paul God...'

'Misschien is die kerel gewoon een watje.'

'Misschien was hij niet voorbereid op schijtmuzak.'

Ze wreef zich in met een hydraterende lotion.

Toen ze eindelijk insliep, gebeurde dat op de fadende tonen van haar allereerste dans met Younes, ver weg, in een broeierig parochiaal centrum, herfsttij van de nineties. '*And through it all she offers me protection, a lot of love and affection, whether I'm right or wrong...*'

II

'Nee, meneer, we aanvaarden geen maaltijdcheques.'

'Hoezo? Delhaize doet het wel. En de Spar ook.'

'Dat kan. Maar wij niet.'

'Zelfs OKay doet het.'

'Prima. Maar wij niet.'

'Waarom niet?'

'Weet ik niet, meneer. Ik zit aan de kassa, niet in het directiekantoor.'

Angelo wist best waarom DiscountShop Bravo geen maaltijdcheques aanvaardde. Principieel verzet van de chef tegen de monopolies van uitgevers en de commissielonen die deze 'gangsters' aanrekenden. Maar zijn maandagochtendstemming was nog niet weggeëbd, en het gezicht van de klant, die hardnekkig met zijn chipkaart bleef wapperen als gold het een VIP-pas, deed hem te veel aan George Bush junior denken. En hij was te moe voor commerciële empathie. En bovendien (en in de eerste plaats): Thaïs had nog altijd niet gereageerd. Dat frustreerde hem tot in zijn neusgaten. De aanvankelijke hoop-vrees dat ze hem ter verantwoording zou roepen voor zijn sms had zich allang ontdubbeld tot een hevige wens dát het zou gebeuren. Zowel de zaterdag- als de zondagnacht had hij van haar gedroomd, volgens scenario's die het ontwaken in Tonia's bed, met Tonia's voeten tussen zijn benen (zaterdag), of Tonia's knie in zijn rug (zondag), tot een zorgwekkende afknapper maakten. Nochtans was het een fijn weekend geweest, bij Tonia: twee mensen in harmonie, zich bewust van wat ze elkaar konden bieden en niet konden bieden, met fijne maaltijden en wijnen, een fijne wandeling langs de winderige kaaien tot in het oude centrum, warme chocolade op een verwarmd terras bij de kathedraal, bezoekjes aan verborgen galerieën die hem hadden toegelaten zijn kennis te etaleren en in smaakverfijning haar ijkpunt te zijn – haar meerdere, kortom. Maar in hun gezamenlijke schaduw had Thaïs meegelopen, als een hond aan de lijn, en dat had hem nijdig en wanhopig gemaakt.

'Aldi, Lidl, noem maar op.'

'Toe maar.'

'Intermarché ook! Ook Intermarché!'

'Als u het zegt, meneer.'

Wat zou hij antwoorden, als Thaïs belde? Waren er veel andere opties dan de waarheid? Waren er óóit andere opties dan de waarheid? Met name in de liefde? Ging het hier overigens over *liefde*? En wat was dan de waarheid? Dat een freudiaanse *slip of the thumb* een hartenkreet bij haar had doen belanden die voor iemand anders bestemd was? Zou hij het zo formuleren? En dat hij het nu verder ook niet wist? Dat hij zich excuseerde, maar dat hij in alle eerlijkheid niet kon zeggen dat het hem speet? (Was dít waar?) Dat hij geloofde in karma, behoud van energie, lotsbestemming en nog andere lulkoek uit de niets-is-toeval-boetiek? En stel dat (Angelo sloot één seconde zijn ogen bij de hypothese) – stel dat Thaïs werkelijk belde, en dat ze de vraag stelde, en stel dat zijn antwoord op haar vraag (gesteld dat die gesteld werd) in Thaïs iets losmaakte, iets 'triggerde' (een woord van Marloes) dat ze zelf niet kon verklaren, maar dat wel zo heftig opvlamde dat er iets ontstond tussen hen tweeën, zou hij dan...

'Ik wil de manager spreken,' zei de klant, die zijn chipkaart wegborg en een briefje van tien opdiepte. Angelo dwong zichzelf terug naar de realiteit, checkte het verschuldigde bedrag: 9,73. Hij tikte de tien in, zag dat hij 27 cent terug moest geven, en stak twee vingers in zijn lade. Grove, haastige vingers. Een muntje van 2 sprong als een vlo in het vak van 20, waaruit bij de bergingspoging op zijn beurt een muntje over de rand wipte en in het 10-vak terechtkwam. Hij vloekte.

'Daar heb ik ook zin in,' zei de klant, 'in lekker vloeken. Roep jij nu maar lekker de manager. Of ik vloek hier de hele tent bij elkaar.'

Waar was Vlad de Spietser? Als lotsbestemming bestond, dacht Angelo, wat was dan de diepere zin hiervan? Wat had George W. Bush met Thaïs te maken? Welke boodschap bevatten deze dansende muntjes en zijn stijgende moordlust?

'De manager,' herhaalde de klant. Hij rukte zijn kassabon uit Angelo's hand, als scheurde hij hem uit een ticketautomaat, en vatte twee meter verder post bij het Kelloggbord, boodschappentasje tussen zijn benen.

Angelo keek om zich heen, riep een passerende magazijnier aan en schetste de situatie. De man knikte en verdween. Vijf minuten later verscheen Rosa, directiesecretaresse. Angelo wees in de richting van het Kellogg-bord. Rosa haalde diep adem en stapte, als onder aanzwellende trompetten, eropaf. Angelo wendde zich naar de volgende klant. Een blonde vrouw. Ongeveer de leeftijd van Tonia, schatte hij. Tonia die, stel dat Thaïs getriggerd werd, een probleem zou worden. Een echt probleem zou worden. Maar die hij zou missen. Hij kon niet anders dan toegeven: hij zou Tonia missen. Móchet Thaïs getriggerd worden. Wat absurd was. Hoe kwam hij erbij? Waarom zou Thaïs getriggerd worden? Je kon evengoed hopen op sneeuw in juli. Ze had nog niet eens gebeld. Jezus, waarom belde ze niet? Waarom deed ze geen reply? Welke trut liet nu zo'n sms blauwblauw?

'De Spar doet het! En Delhaize, Intermarché – doen het allemaal!'

'*Birds do it, bees do it, even educated fleas do it...*'

De blonde vrouw knipoogde naar Angelo, terwijl ze zacht zingend haar boodschappen in een Bravo-tasje duwde. Ze was niet onknap en Angelo voelde de klik achter zijn hart. Een trigger, waarvan hij er zoveel had zitten, misschien wel een miljoen, over zijn hele lijf. Continu op scherp, over te halen door een vlinderpoot.

Godjezus, dacht hij, godlievejezus.

En voor hij om vijf uur zijn shift afsloot, werd hij bij de chef geroepen, die vroeg of het waar was dat hij tegen een klant gevloekt had. 'Godverdomme' had gezegd. Angelo, teruggeflitst naar de kleuterklas, beaamde. Niet echt tégen een klant, zei hij, maar wel in het bijzijn van. Hij kreeg te horen dat dit absoluut niet paste, noch bij de huisstijl, noch bij de *selling policy* van Bravo. Klanten hadden het recht een vraag te stellen zonder op grofheden getrakteerd te worden. Ja? Had hij dat begrepen?

Ja, zei Angelo.

Geen geintjes, Angelo. Die marge heb je niet meer.
Nee, chef.

De rits van zijn jack haperde.
FUCK YOU YOU FUCKING FUCK.

Hij nam de tram richting Bolivarplaats, stapte af bij de Nationale Bank. Hij wandelde naar de Van Breestraat, en in zijn vroegere kot keek hij moedeloos naar het stof, het steengruis, de afgedekte meubelen (in het laken over het aanrecht herkende hij de contouren van een nooit helemaal uitgewassen wijnvlek die terugging op een wilde, prehistorische nacht met Marloes, toenmalig lief en beschermvrouwe), de aangebroken en weer dichtgetapete zak pleisterkalk, de emmers, borstels, de rol plastic en nog veel meer rekwisieten die er geen twijfel over lieten bestaan: deze plek, zijn officiële residentie, was tot voor kort het toneel geweest van drukke verbouwingswerken. Angelo nam een document van de vensterbank, blies het stof weg en identificeerde de laatste, onbetaalde factuur van zijn Bulgaarse aannemer. Hoorde daarbij diens verbazend goede Engels, waarin hem tijdens hun telefoongesprek duidelijk was gemaakt dat, indien de factuur die hij in zijn hand hield, onbetaald bleef, Angelo misschien maar beter naar een andere aannemer kon uitkijken. Ook Tonia's stem liet zich horen: dat hij moest oppassen met dat Oost-Europese crapuul. Dat een bende schooiers uit datzelfde Bulgarije vier jaar voordien haar villa in Edegem had leeggeroofd, alles meegraaiend, van een schilderij van Barraud (verjaardagscadeau van Willem!) tot twee zakken kattenvoer toe. Angelo had mooi zeggen dat oom

Neel de aannemer had uitgevlooid tot op zijn ondergoed en administratief volkomen in orde bevonden, met een uitstekende reputatie bij de Kamer van Koophandel. En dat Bulgarije een EU-land was, lieveling. Hou hem toch maar in de gaten, had Tonia gesnoven.

Zij noemde de Alpen weleens een cultuurgrens, met een gezicht alsof aan de andere kant Afrika begon.

Angelo stak de factuur in zijn zak, veegde een strook van het raam schoon, staarde naar buiten, waar de stad zich opmaakte voor de winteravond. Relatieve drukte, trage files, studenten op de fiets, iedereen een veilige weg zoekend tussen nevelige lichten, gassen, alles tegen de achtergrond van een vaag gezoem.

Waarom was hij gekomen? Om zichzelf eraan te herinneren dat hij dringend een besluit moest nemen? Om zich te laten spotten door naar domiciliefraude speurende wijkagenten? Wilde hij bewoner van de Van Breestraat blijven? Waarom bood hij nu al een jaar verzet tegen Tonia's voorstel die 'koterij' te verkopen en voorgoed bij haar in te trekken?

Hij trok het oude tapijt opzij dat het gat in de verste muur maskeerde en betrad het kot van Thadeus, eeuwige eerstejaars in de meest exotische opleidingen en uiteindelijk uitgeweken naar Sidney voor een graad in *Aboriginal Studies*, waardoor oom Neel kans had gezien ook deze kamer in de aankoop van Angelo's woonst te betrekken. Angelo ging naar de keuken, trok een biertje open. Hij dronk, de blik doelloos gevestigd op een oude poster naast de koelkast, waarop de misvormde tronie van een Maya-god terugstaarde. Boven de koelkast, kunstig gekalligrafeerd in het stucwerk, woorden van Salvador Dalí: *Vergissingen zijn altijd van sacrale aard…*

Hij zuchtte, keerde terug, ging op zijn bed zitten. Checkte zichzelf op sporen van nostalgie, dacht aan dingen die zich in dit pand hadden afgespeeld. Boeken die hij er had gelezen, gesprekken die hij had gevoerd, muziek die hij had gehoord. '*Die Sonne scheidet hinter dem Gebirge. In alle Täler steigt der Abend nieder.*'

Die vreselijke ruzie met Marloes, net na zijn terugkeer uit Leipzig. Was erheen gelift op bedevaart naar Bach, in de lange vakantie tussen secundair en unief, toen er tijd zat was voor avonturen en statements, en Marloes in Kent was op taalkamp. Hun relatie was nog geen drie maanden oud, en Angelo bedacht dat zijn excentrieke pelgrimstocht hem nóg interessanter zou maken in de ogen van dat verblindende buurmeisje dat, naast zijn melancholie, ook gevallen was voor zijn curriculum: verwaarloosd kind van tienerouders, toevertrouwd aan een schilderende accountant over wiens hormonale bedrading de hele buurt het zijne dacht, een jongen met interesse voor boeken en kunstenaars, en qua muziek niet dwepend met Queens of the Stone Age, maar met Bach, godbetert. Johann Zebastian, zoals hij het uitsprak. Ik lift naar Leipzig, zei Angelo, en ik stuur je een kaart uit elke stad die ik aandoe. En daarna studeren we samen wijsbegeerte en worden de slimste mensen van de wereld.

Hij deed er bijna vier weken over, als een mier knabbelend aan het budget dat oom Neel ter beschikking had gesteld, op alles bezuinigend behalve de kaartjes die in een gestage stroom naar Engeland vertrokken.

In Leipzig deed hij de obligate Bach-tour, offerde aan elke statie, gooide geld in de cellokoffers van briljante straatmuzikanten en stapte op een bepaald moment,

Bach-moe, het pas verhuisde Museum der Bildende Künste binnen. En daar, verzonken in de aanblik van een Lucas Cranach de Oude, met de witte oortjes van een iPod als mezeneitjes in haar zwarte, vernestelde haar, zat het mooiste meisje dat hij ooit had gezien. Mooier nog dan Marloes, en met een blik in haar ogen waarin zoveel verlangen en belofte verscholen lagen dat het hem de adem benam. Hij had niet anders gekund dan naast haar te gaan zitten. Driemaal de zaal rondgebeend, en de volgende niet binnengeraakt. Voor elk schilderij halt gehouden, en er geen enkel gezien. Blijven cirkelen rond de bank, als een maan rond de zon. Ten slotte door zijn eigen benen uit zijn omwenteling gedwongen en naast haar op de bank geduwd, waar hij ook naar Lucas Cranach de Oude had gestaard, zonder te beseffen wat hij aan het bekijken was, zonder te weten of te willen weten wie die figuren in hun stijve gewaden voorstelden. Zich alleen bewust van het wezen naast hem. Zijn hele lichaam een en al oor, een reusachtige schelp die elk geluidje, elke trilling die ze uitstuurde capteerde, bijvoorbeeld het zachte geruis in de speakertjes van haar iPod, waarin hij een cantate van Bach dacht te horen. Kijken durfde hij niet. Hoewel hij haar op een of andere manier toch zag, frontaal zelfs: zijn blik leek op het Cranach-doek te ricocheren en haar dan loodrecht te treffen.

Terug thuis had hij Marloes erover verteld, zich beperkend tot: interessante ontmoeting gehad in Museum voor Beeldende Kunsten.

'O ja?'

'Ja, een studente. Belandde toevallig naast haar op de bank. We raakten in gesprek.'

'Oké.'

'Ik was nieuwsgierig naar de muziek in haar iPod. Ik dacht "Nach dir, Herr, verlanget mich" te horen.'

'Wat is dat?'

'Een cantate – van Bach. Een van de vroege.'

'Ach zo.'

'Maar ik zat ernaast.'

'Dus jij sprak haar aan?'

'Ja.'

'In het Duits?'

'Ja. Hoewel ze er nogal zuiders uitzag. Maar ze was van Leipzig.'

'Ik wist niet dat je Duits zo goed was.'

'Is het ook niet. Maar – nou ja, het ging. En het bleek helemaal geen Bach-cantate te zijn. Het was Mahler, zijn *Lied von der Erde*. Jezus, ik schaamde me dood.'

'Dood?'

'Niet dat je geen bruggetje kunt slaan tussen die twee. Maar toch: ik voelde me als iemand die een pekinees verwart met een sint-bernard.'

'Erg.'

'Daarna zijn we iets gaan drinken, op de Markt.'

'Jullie zijn iets gaan drinken?'

'Het was een mooie dag. En we wilden nog wat praten. Ontstellend hoeveel ze wist. Over Mahler, maar ook Bach. Kende zowat zijn hele biografie.'

'Ook de pest-anekdote?'

'De wat?'

'De pest-anekdote. Die jij hier altijd vertelt, als we visite hebben. Hoe de pest uitbrak in Leipzig en Bach zeer "de pest" in kreeg toen de epidemie weer afnam en de vraag naar cantates daalde, wegens minder begrafenissen. Je ziet: ík luister naar je.'

'Ik geloof niet dat dit ter sprake kwam. Ze wou me vooral bekeren. Tot Mahler. Liet me stukjes *Lied* horen.'

'En?'

'Wat?'

'Ben je bekeerd?'

'Heeft wel iets, ja. Maar je moet ervoor openstaan.'

'En dat doe je nu – openstaan?'

'Misschien wel.'

'Waarom vertel je me dat allemaal?'

'Hoezo?'

'Denk je nu echt dat dit me één fuk interesseert? Wil je me soms jaloers maken?'

'Helemaal niet. Ik breng verslag uit, gewoon. Ik wil je alles vertellen over mijn reis. Dat zal ik altijd doen: je alles vertellen.'

'Behalve dat je verliefd geworden bent.'

'Hé? Ik ben helemaal niet verliefd geworden. Absoluut niet. Het was allemaal heel... aseksueel. Abstract bijna. Iets... esthetisch.'

Meteen, bij 'esthetisch', waren de tranen gekomen. Alsof het woord Marloes midden in het hart trof. Slaande deuren, ansichten die om zijn oren vlogen, en oom Neel die, strooien hoed op zijn kop en penseel in de beklieder-de hand, uit de tuin kwam gesjokt om te zien wat er gaande was.

Angelo had zichzelf er nog weken op nagekeken. Of hij niet gelogen had. Of hij werkelijk niet verliefd was geworden. Of hij toen werkelijk niet had gehoopt op een invitatie, een '*Kommst du mit?*', gevolgd door *himmlische* zaligheid op een meisjeskamer in de schaduw van de Thomaskirche.

Wat hij Marloes later nooit meer uit het hoofd kon praten: dat zulks niet was geschied.

Hij dronk de rest van zijn bier, sprak een boodschap in op Tonia's antwoordapparaat. Dat hij enkele dagen op zijn flat bleef, uit Bulgaarse noodzaak.

Hij trok een blik tonijnsla open, nam een deeltje Schopenhauer van de plank, las terwijl hij at, onderuitgezakt op zijn bed, met één hand bladerend langs wat hij destijds had aangestreept voor zijn scriptie. Alle grofheden over de vrouw, het 'onvolgroeide geslacht met zijn smalle schouders, brede heupen en korte beentjes. Het onesthetische geslacht, ontvankelijk voor muziek, poëzie noch beeldende kunsten, tenzij uit na-aperij en behaagzucht.'

Die Arthur. Wat een prachtige rode lap voor een verveelde, aanmodderende student, die alsnog wil afstuderen met een paukenslag en voor de zoveelste keer provocatie verwart met diepgang.

Niet aangestreept: 'Vrouwen hebben zelf altijd een voogd nodig, daarom mogen ze in geen geval de voogdij over hun kinderen krijgen.'

Hij had Marloes nooit meer met Mahler geconfronteerd, hoewel hij er zelf, na Leipzig, steeds dieper in wegzakte. Nog dezelfde dag van de ontmoeting had hij een cd met *Das Lied* gekocht en eenmaal thuis draaide hij hem kapot – als Marloes er niet was. Hij was in de oud-Chinese poëzie gedoken, basis van Mahlers compositie. Had er een commentaarstem bij gehoord, in zacht, sonoor Duits. Een Lorelei die vertelde over schoonheid en vergankelijkheid. Over het *carpe diem*. Over de eeuwige verlokking van donker en licht. Hij had er lichtend-witte parels bij gezien, half verborgen tussen zwarte haarstrengen.

Hij nam zijn obsessie mee naar de universiteit. Zette cantussen in met 'Reeds wenkt de wijn in gouden bokalen; drink echter nog niet, ik zing u eerst een lied!'

Angelo legde Schopenhauer aan de kant, staarde in de schemer, lang.

Toen greep hij de telefoon.

Zijn hart bonsde toen het signaal aan de andere kant overging. Maar het was Thaïs niet die opnam. Blijkbaar had ze een assistente in dienst genomen. Afspraak voor controle? Zeker, zegt u maar wanneer... Nee, dat gaat niet, de dokter vertrekt volgende week op vakantie. Maar begin april? Prachtig. En de naam is...?

Toen de stad helemaal donker was geworden, stond Angelo weer voor het raam.

Een oude man stak de straat over met een hond aan de lijn.

Hij keek toe, empathisch, opgelucht toen ze ongedeerd de overkant haalden.

Tijd voor een goede daad, dacht hij. Iets wat alvast deze plek op de wereld een beetje esthetischer maakt. Het wordt hoog tijd voor een goede daad.

12

'Schopenhauer,' zei Huguette. 'Dat had ik in Sarko niet vermoed.'

Haar kop thee stond dampend op haar cursus. De veelvoudig gekraakte rug liet nog net *Beroepsethiek & communicatie* ontcijferen.

'Waarom niet?' zei Berenice. 'Is toch typisch iets voor mannen met te kleine piemeltjes?'

Er klonk wat besmuikt gelach langs de tafel. Meer mensen kwamen naar binnen, kastdeurtjes klepten, op de gang dreef het rumoer langs van jonge stemmen.

Berenice trok de *Libération* uit Noëls handen, bestudeerde de foto's op de voorpagina. Een Franse presidentskandidaat, naast de zittende president. Eronder, in kleiner formaat, drie vrouwen. Die van de president, en twee van de kandidaat: zijn ex en zijn huidige, zo gemonteerd dat het leek alsof ze elkaar binnen de seconde naar de keel konden vliegen. Verleden en heden op ramkoers.

'En hoe heet dat boekje?' vroeg Huguette.

'*De kunst van het gelijk krijgen,*' zei Noël. 'Een jeugdwerk.'

'Ken ik niet. Heb nochtans heel wat Schopenhauer op de plank. Ken jij het, Eleonora?'

Eleonora onderdrukte een zucht. De laatste tijd neigde Huguette weer tot contact. Na maanden kilte en distantiëring, terwijl ze ooit haar coach en toeverlaat was. Eleonora moest toegeven dat ze het prettig vond. En nuttig, gezien Huguettes positie in het departement. Maar de vraag leek haar niet vrij van venijn. Ze probeerde zich weer te binnen te brengen wat Noël had voorgelezen. Iets over trucjes van Sarkozy tijdens verkiezingsdebatten, die hij volgens de *Libération* uit een pamflet van Schopenhauer had gehaald. Kern: vergeet de waarheid, maar zorg dat je gelijk krijgt.

'Geef mij maar Ségolène,' zei Berenice. 'Meer stijl in haar pink dan die Carla en Valérie in hun hele body.'

Ze wierp een laatste, vergelijkende blik op het drietal, gaf de krant terug aan Noël.

'Volgens Schopenhauer zijn vrouwen slechts in één ding geïnteresseerd,' zei Huguette, 'en dat is de soort in stand te houden. Daarom willen ze het mooiste en sterkste mannetje, ook als dat betekent dat ze hun eigen exemplaar dienen te dumpen. Dat is hun aangeboren moraal: ze hebben het recht om mannen te bedriegen, vinden ze, want er is een hoger doel.'

Huguette keek naar niemand in het bijzonder. Maar Eleonora voelde hoe de woorden vooral haar richting uit kwamen.

'*Very* Darwin,' zei Berenice. 'En waarom spreek je in de derde persoon? "Ze, hun"...?'

'Schopenhauer had een zeer problematische relatie met zijn moeder,' zei Noël. 'Z'n leven lang. Dat verklaart wellicht die misogynie van hem.'

'Die wat?' vroeg Berenice.

'Vrouwenhaat, *chérie*,' zei Noël.

'*Chérie*? *Moi*? Van jou? Als je dat maar uit je hoofd zet. Ik ben niemands schat, *nobody's wife, la femme de personne*. Wat jij, Eleonora?'

Eleonora probeerde een glimlach. De sherryblos stond al duidelijk afgetekend op Berenice' wangen, hoewel het nog maar halfelf was. Haar blik ging onwillekeurig naar het dossierrek, waar – publiek departementaal geheim – Berenice haar flessen bewaarde. Ze betreurde haar impuls de docentenkamer in te gaan voor de koffiepauze. Zoveel werk op haar bureau. Maar op een of andere manier had de eenzaamheid gestoken. Erg genoeg om naar het gezelschap van collega's te verlangen.

Huguette, vakgroepvoorzitster ad interim, blies in haar thee, mompelde: 'Grofheid of gevatheid: het blijft een kunst.'

'In elk geval,' zei Noël, 'treed ik je bij, Berenice. Ségolène heeft klasse. De andere twee vooral ambitie.'

'*Quod erat demonstrandum*,' zei Huguette. 'Stijl, daarover gaat het. Niet over de toekomst van Frankrijk. Niet over tewerkstellingsprogramma's of Europese crisis. Maar over stijl. De mooiste veren opzetten als de haan kraait.' Ze nam een slok thee, slikte haastig door, terwijl ze een hand liet wapperen voor haar blazende mond. 'Over haantjes gesproken,' zei ze genepen, 'hoe maakt onze bolleboos in de Far West het?'

Ze keek afwachtend naar Eleonora. Die werd nijdig op zichzelf toen ze de blos op haar wangen voelde.

'Prima,' zei ze.

'Hou je nog van hem?'

'Wat?'

'Of je nog van hem hoort.'

'Jawel, elke dag.'

Meteen toen ze het zei, en de blos nog dieper brandde omdat ze Huguette zo freudiaans verkeerd verstaan had (was het wel zo? Had Huguette niet werkelijk 'hou' gezegd in plaats van 'hoor', om haar uit te dagen?), overviel haar een hevig verlangen naar de avond, en ging ze aan het rekenen hoe lang het nog zou duren voor het middag was in San Francisco: Skype-time.

Bitch, dacht ze, terwijl ze vriendelijk antwoordde op Huguettes volgende vraag: hoe het seminar verliep, en of Jonathan al een verslagje kon doormailen voor de departementale nieuwsbrief, en of hij al contacten had gelegd voor verdere uitwisselingsprojecten. Jaloerse bitch. Alsof we het daar allemaal over hebben, mijn god. Zal ik jou eens een verslagje schrijven over de Swan Jumper 2? Z'n duale stimulatie? Zullen we daarover eens een seminar houden? Hoe lang is het geleden dat een man nog interesse toonde voor jouw gleuf?

Ze dronk een laatste slok koffie, pakte haar tas.

Op de gang moest ze zich langs een groepje studenten wurmen, van wie er twee zo energiek aan het tongen waren dat ze in een reflex wegkeek. Ze vroeg zich af of het niet tot haar opvoedersplicht behoorde in te grijpen. Nee, besloot ze. Volwassen mensen, vrijheid blijheid. Ze haastte zich de gang uit, voor de vraag of dit wel klopte te onbehaaglijk werd.

In haar bureau sloeg een nog onbehaaglijker reflectie toe. Zou ze identiek hebben gereageerd, mochten het twee jongens zijn geweest? Of twee meisjes?

Ja, dacht ze.

Ze ging zitten, nam een portfolio van de stapel, vastbesloten de hele klus te klaren voor ze ging lunchen.

Een pasta, ver van de campus.

Zenmuziek.

Ze las een krant, checkte mails, zag nieuwe foto's van haar neefjes op Facebook.

De gedachte aan eigen kinderen meldde zich voor ze er erg in had. Ze stelde het met enige wrevel vast. Alsof ze haar vriendinnen, of moeder, hoorde. Was haar biologische klok sneller gaan tikken? Ze kende de statistieken. Steeds meer vrouwen werden moeder als ze de dertig voorbij waren. Ze hoefde zich dus nog niet te haasten. Ook Jonathan hield het onderwerp, net als Younes indertijd, ver van de ontbijttafel. Zelf had ze nooit de aandrang gevoeld, enkel een vage, niet onprettige zekerheid dat het er ooit van zou komen. Zoals je weet dat je ooit grijze haren krijgt. Nee, dat was te oneerbiedig. Te beledigend voor haar lievelingen in spe. Stel dat die al meeluisterden, ergens in een tijdsplooi, tussen Stonehenge en haar buik.

Welkom op aarde.

Schopenhauer-land.

Ze reed terug naar de campus met een knagende worm in haar oor. '*All my loving, I will send to you. All my loving, darling, I'll be true.*'

De wankelende concertganger. De net-niet-huilende.

Ze probeerde zich te herinneren of zij het zelf ooit te kwaad had gekregen door muziek. Ze was geen melomaan. Thuis kon ze best ontroerd raken, met een glas wijn in de hand. Maar op een festivalweide? In een concertzaal? Een lijstje evenementen flitste door haar heen, maar tevergeefs. Leed ze aan OAG? Ze spande zich in, groef steeds dieper, riep zich afscheidsgezang op scoutskampen voor de geest. Ik zeg u geen vaarwel... Het begon haar te irriteren, tot eindelijk, van heel ver, als door een wormgat haar bewustzijn in geperst, het beeld van een kloosterkerk naar boven floepte, met midden voor het altaar een sobere kist op de zwarte vloer, bedekt door een witte nonnenpij waarover een rozenkrans lag. Geur van geboend hout en wierook. En opeens, na de offerande, een Ave Maria, achteraan opstijgend tussen de pilaren, gedragen door een sopraan van zo'n tijdloze zuiverheid dat het leek alsof het de ziel van tante Rebecca zelf was die de lift nam naar de eeuwigheid. Een transsubstantiatie – niet in brood en wijn, maar in klanken. Toen had ze effectief gehuild, ze wist het opeens zeker – niet uit verdriet, maar uit afgunst, een bizar soort verlangen naar de dood, díé vorm van sterven, met garantie op een doorgang naar iets beters, het volmaakte.

Eleonora glimlachte: pas achttien, en al mystieke aspiraties. Jaloers op een leven als dat van zuster Rebecca, ver van alles, enkel omgeven door stilte, licht en koele muren.

Heel concrete herinneringen, dus. Niks OAG. Ook Younes zag ze weer terug, met de helderheid van een foto, zoals hij naast haar in die kloosterkerk had gestaan. Hij, die de toorn van zijn vader had getrotseerd om haar te vergezellen naar Nederland, naar een godslasterlijke plek, waar hij de Profeet te schande zou maken door deel te nemen aan een rite van de heidense *kafirs*. Zijn bruine, scherpe, borende profiel. Zijn zwijgende verbetenheid. Eén blik erop, en haar doodsverlangen was weggesmolten in hete drift.

Een verkeerslicht sprong op oranje en Eleonora moest in de remmen. Achter haar werd getoeterd – terecht, vond ze.

13

SF – het stond in dikke stift op het omslag, in haar mooie handschrift, net onder het *Promenade*-logo.

Reinoud knoopte de schutbladen los, overvallen door de herinnering aan het moment dat hij de map tussen Mariannes papieren had ontdekt. Een verre zondag, waarop hij zich er eindelijk toe had kunnen bewegen haar werkkamer op te ruimen, twee jaar na haar dood. SF: hij had even gedacht dat het om sciencefiction ging, research voor een artikelenreeks. Maar het ging over San Francisco.

De map van Louis Barneveld.

Reinoud bladerde. Nog altijd dat dunne stapeltje familiedocumenten. Foto's van grootvader 'Lewie', in zijn jonge jaren. Floue beelden uit de vroege twintigste eeuw. Op het bietenveld, een paard inspannend, een stromijt stapelend, zijn trouwfoto – niks spectaculairs. Het militair dossier besloeg het grootste gedeelte. *Soldat milicien Barneveld Lodewijk-Jean*, klasse 1912. Reinoud herinnerde zich Mariannes verontwaardiging toen ze terugkeerde van het Koninklijk Krijgsarchief in Brussel: dat niemand daar Nederlands had gesproken. Maar over zijn ballingschap in Amerika: bijna niets. Haar naspeuringen waren verre van afgerond. Afgehaspeld in gestolen uurtjes. Marianne had het druk, veel te druk. *Promenade* was haar leven geweest, zeven op zeven, vierentwintig op vierentwintig.

Zijn vaste voornemen haar taak verder te zetten.

Het schuldige besef dat het er nog altijd niet van gekomen was.

Hoe cynisch, dat zo'n zeldzame keer dat ze nee had gezegd tegen de terreur van reportages en redactievergaderingen haar dood had betekend.

In een dodehoekongeval.

HOOFDREDACTRICE *PROMENADE* STERFT IN DODEHOEKONGEVAL.

Wat was een dode hoek?

Een hoek waar je dood werd gemaakt.

'Meegesleurd door vrachtwagen.'

Zoals krokodillen een zebra het water in sleuren. Luipaarden een antilope de boom in sleuren.

De truck reed veel te snel. Dat verklaarde een van de vriendinnen. Ex-vriendinnen. Dat ze allemaal werden meegezogen. 'En Marianne, god, het leek wel of ze naar die wielen toe spúrtte, zo snel ging het. Ik riep nog: "Marianne, kijk uit!" Maar het was te laat.'

Wat de chauffeur, die op het hoofd van vrouw en kind alle schuld ontkende, de opmerking ingaf dat Marianne het misschien wel zelf gewild had. Méters ruimte had hij gelaten tussen zijn voertuig en het fietsende groepje. Een ongeval? Hij had zijn twijfels. Wat zijn verzekeringsmaatschappij dan weer de oren deed spitsen. Zoals hyena's de oren spitsen wanneer een gnoekalf door het savannegras ritselt. Wat Reinoud dan weer...

Reinoud sloot de map. Hij wilde er niet meer aan denken.

Hij ging naar beneden en zette de televisie aan, net op tijd om Sarkozy het zegeteken te zien maken.

De Franse president had een peiling gewonnen.

De lente brak aan met een dag tegen racisme. WORD WAKKER! Oproep aan de hele stad om zich te uiten als verdediger van diversiteit. 'Megafotosessie' op de Korenmarkt, in de vooravond, opgeluisterd door een multiculturele fanfare.

Reinoud hoorde het op de lokale radio, terwijl hij naakt, met gespreide benen, boven een spiegel stond en zijn bilspleet opentrok. Hij zakte door zijn knieën, spiedde aandachtig naar beneden. Het zicht beviel hem. Bood hij daar een maand eerder nog het perspectief van een bonobovrouwtje met hevige paringsdrang, zijn stuit zag er nu weer zo goed als normaal uit. Alle aambeien en uitgroeisels weg, geen zwellingen meer, enkel nog wat rode verkleuring.

Een herboren gat. Een foto waard.

Hij nam er een cointreau op, overwoog af te zakken naar de Korenmarkt. Maar na de lunch schopte hij tegen een tafelpoot en een kramp vlamde door zijn lende tot in zijn ribben. De rest van de dag lag hij op de bank, ontstekingsremmers binnen handbereik.

Weken van opwarmende dagen.

Op 2 april stond hij vroeg op, nam een bad, ontbeet met eieren en croissants. Stak Offenbach in de cd-speler. Dronk koffie.

Hij trok zijn nieuwste pak aan.

De zon scheen. Glimlachend zat hij in de tram, genietend van zijn eigen Chanel-geur, bekeek de mensen in de straten van de stad, met een gevoel van verbondenheid. Tegen elven betrad hij het kerkhof. Hij had een bloemetje bij zich.

Hier rust, hier rust.

'Gefeliciteerd,' zei hij, en hij legde de ruiker naast haar foto. 'Vijfenzestig, sjongejonge, hoe voelt dat?'

Hij was helemaal alleen. Meeuwen zweefden in de kraakheldere lucht, een bries speelde om zijn hoofd.

'Met pensioen, mevrouwtje, asjeblieft. En waarmee ga je de dagen vullen?'

Hij vertelde Marianne hoe de wereld ervoor stond. Griekenland bankroet, Syrië in puin, het einde der tijden nabij, volgens de Maya-kalender.

'Niks om jaloers op te zijn,' zei hij. 'Maar 't is wel een mooie dag.'

Hij vertelde over zijn plannen. Straks naar Carla en Willy, zei hij, na de middag. Te lang geleden, ik weet het. Een schande, vergeef me.

Hij trok een opschietende distel uit. Een regenworm viel op de zerk. Hij nam hem vast tussen duim en wijsvinger, dropte hem in een struik.

'Sorry, maat,' zei hij. 'Verboden terrein.'

Hij maakte zijn vingers schoon met een zakdoekje, hurkte, stak een tandenstoker in zijn mondhoek. Zo bleef hij zitten, ellebogen op de knieën, als een cowboy bij het kampvuur. Zoekend naar een onderwerp.

'Koenraad heeft een nieuwe expositie,' zei hij. 'Opening volgende week donderdag, ergens in Aalst. Ben de naam van de zaal kwijt. Uitnodiging zat vanochtend in mijn bus. De burgemeester leidt in.'

Het thema wist hij wel nog. Hoofdsteden. De kaart toonde een nachtelijk shot van de Tower Bridge, in feeërieke verlichting. Zo idyllisch dat je dacht: over dit soort brug wil je niet wandelen, want dan zie je ze niet meer.

'Zoals de gebroeders Goncourt altijd dineerden op het platform van de pas voltooide Eiffeltoren, weet je nog? De enige plek in Parijs waar ze die afzichtelijke piek niet konden zien?'

Hij had haar de anekdote voorgelezen tijdens hun eerste trip naar de Lichtstad, in een pension bij Pigalle, naakt op bed – zomer 1976? Parijs kreunde onder een hittegolf.

'Komt Koenraad uit Aalst?' vroeg hij.

Hij verschoof het stokje naar de andere mondhoek.

'Maakt nog altijd schitterende foto's. Werkt voor *Het Nieuwsblad* nu.'

Hij wist dat hij niet naar de vernissage zou gaan. Schraapte zijn keel.

'Herinner je je nog dat *Promenade*-feestje in het Geuzenhuis? Zo'n twaalf jaar geleden? Viering van het tweehonderdste nummer? Jij in de bloemetjes, Koenraad in de bloemetjes, omdat hij de kweetnietmeerwat-prijs gewonnen had voor zijn portrettenreeks van Leieschilders? Veel volk, schoon volk. Jan Hoet, Goedele Liekens...'

Ook Bette, Koenraads vrouw, was er geweest, en aangezien hun beider partners telkens weer in beslag genomen werden door eufore gasten die, glaasje wijn in de ene en toastje in de andere hand, de feestvarkens wilden vertellen hoe fantastisch ze dit en hoe weergaloos ze dat wel vonden, hadden Reinoud en Bette veel tijd samen doorgebracht, hoofdzakelijk babbelend over haar job als buurtwerkster. En toen Reinoud even na middernacht een sigaret ging roken aan het water ('Ik rookte nog, weet je wel?') en Bette tegen het lijf liep, die een jasje uit de auto moest hebben, kwam ze naast hem tegen de reling leunen, en hij toonde haar het jaagpad langs de Schelde, en ze wou er even heen, en toen hij haar voor liet gaan bij de trap, begonnen ze opeens te zoenen.

'Zomaar,' zei Reinoud, 'zonder enige aanleiding. Zoals in soaps. Belachelijk. Ik had de hele avond niet één keer aan die mogelijkheid gedacht, voelde ook niets bijzonders voor haar. Had Bette altijd aardig gevonden, meer niet. Was blij dat ze er was om de tijd te verdrijven. Je weet hoe ik die toestanden haat.'

Reinoud verplaatste zijn gewicht naar zijn andere been, nam het houtje uit zijn mond. Ik herinner me nog hoe ze smaakte, wou hij zeggen. Maar hij hield zich in.

'Ik was niet dronken, zij was niet dronken. Een glas of drie, vier, op een hele avond.'

Een meeuw schreeuwde.

'Daarna zijn we weer naar binnen gegaan. Hebben elkaar niet meer gesproken. Heb haar later nog nauwelijks gezien. Telkens was het: Hallo, alles goed, hoe gaat het met Koen, met Marianne? Handje, en tot ziens.'

Ze had naar garnalen gesmaakt. Ze kuste ook bijzonder: zuigend, gulzig, alsof zijn tong een hapje was.

'En daarna was jij er niet meer, en ging *Promenade* op de fles.'

De meeuw schreeuwde harder.

'Aardig van Koenraad dat hij me die uitnodiging stuurt. Hij heeft altijd contact gehouden. Had veel respect voor je. En dat straalt af op mij, natuurlijk.'

Hij grijnsde, gooide de tandenstoker weg.

'Maar als ik hem zie, denk ik aan die avond. De Schelde. Denk ik: ik heb je vrouw gezoend, vriend, lang en heftig, op een manier die niet koosjer was. Denk ik: weet jij dat, heeft ze je 't ooit verteld? Ik hoop van niet, want wat zou je ermee opgeschoten zijn? Een kerf over je hart. Niets dodelijks, maar wel een kloterig gevoel, voor de rest van je leven. Elke keer als je me ziet naar mijn mond kijken en denken... Nou ja.'

Zijn benen begonnen te verkrampen, hij kwam moeizaam overeind.

'Dat zou ik tenminste doen,' zei hij. 'In zijn plaats. Telkens naar die rotlippen staren. Ik, met mijn slecht karakter. Denken: ik sla zijn tanden eruit.'

Hij rekte zich, steunend, maar hield daar meteen mee op toen er een pijnscheut insloeg onder zijn schouder en langs zijn ribben naar zijn buik trok.

'Ai, godjezuschristus...'

Bevroren stond hij bij het graf, happend naar lucht.

'Wat was dat nu weer,' zei hij.

De pijn ebde weg. Hij strekte voorzichtig zijn rug, herademde.

'We worden oud, partner.'

Hij bukte, schikte het bloemstukje nog een laatste keer. Tot het perfect lag.

'Las ooit een interview met een van de Beatles,' zei hij. 'McCartney, geloof ik. Over de gekte van hun begintijd, vrouwen die zich bij bosjes in hun schoot wierpen. Wilde nachten. Hoe hij dan jaren later, getrouwd en wel, zo'n exgroupie tegenkwam en niet wist wat te zeggen. "*Hello, how's things, meet the wife...*" En vlug ervandoor.'

Hij wou nog iets toevoegen, maar een donderende explosie deed hem zijn schouders intrekken. De hemel scheurde open, brullende echo's tolden langs de horizon, heen en weer ketsend tussen de vier windstreken.

Daar komen de Maya's – het flitste door zijn hoofd.

Hij keek op, zag een straaljager wegsnellen, inkrimpen tot een stip boven de verre skyline van de flats bij de Watersportbaan. Nog voor hij hem goed in het vizier had, was het toestel verdwenen, het lawaai met zich meetrekkend tot de aarde weer effen en stil als een vallend laken om hem neerdaalde.

Geen meeuwen meer.

Reinoud bleef nog een seconde turen, met samengeknepen ogen.

'Hij zit vast al boven Antwerpen,' zei hij.

14

Het geluid zwol aan uit het westen.

Angelo sloot de deur van de apotheek, keek omhoog, zag het vliegtuig verschijnen. F-16? Boven de kathedraal maakte het een weidse bocht van negentig graden en versmolt met de zon. Hij dacht aan New York, brandweerlui die opkijken bij de herrie van straalmotoren en een Boeing zien inslaan in een wolkenkrabber.

Holy shit.

Hij stopte het flesje mondwater in zijn zak, liep de straat uit tot bij de tramhalte, waar nauwelijks iemand stond. Eerste dag van de paasvakantie: er was een tijd dat dit moment een milde paniek door zijn buik joeg. Examens opdoemend aan de horizon, nog een berg dictaten te kopiëren, opdrachten te plagiëren voor er aan blokken kon worden gedacht, terwijl iedereen daar al volop mee bezig was, of althans die indruk wekte.

Hoe had hij het allemaal overleefd?

Hetzelfde soort paniek voelde hij nu bij het vooruitzicht van de avond. Mondeling voor een hoofdvak.

Hoe te overleven, zonder Marloes als mentor?

Om twee uur zat hij weer achter zijn kassa.

Nog vijf uur voor zijn afspraak met Thaïs.

'Goeiemiddag.' Streepjes scannen, tasjes aanreiken,

weigerende betaalkaarten schoonvegen, afrekenen. ‘Dank u, tot ziens.’

Zo precies mogelijk, zo vriendelijk mogelijk, in opperste concentratie. Elke handeling een nekslag voor verontrustende gedachten.

Om 18 uur was hij thuis. Hij poetste zijn gebit, floste, spoelde zijn mond.

Belde naar Tonia om te laten weten dat hij nog geen idee had wanneer hij bij haar zou zijn. Dat het laat kon worden: eerst naar de tandarts, en dan een drankje met enkele oud-studievrienden. Dat laatste klopte niet, maar Angelo liet liever ruimte voor een debacle bij Thaïs, gevolgd door behoefte aan helende eenzaamheid.

Hij douchte, trok de schone kleren aan die hij ’s ochtends had meegenomen van Tonia’s loft. Twee klapjes aftershave op zijn wangen. Hij twijfelde bij de haargel, stopte de flacon terug in de tas.

18:20 uur: te vroeg om te vertrekken. Geen zin in lezen. Hij surfte wat op zijn oude desktop. De ventilator kriepte als een roestige fiets. Geschiedenis van de tandheelkunde. In het Pakistaanse neolithicum werd al in kiezen geboord. Niet duidelijk of het om curatieve dan wel strafrechtelijke handelingen ging. Oude Egyptenaren gebruikten gouddraad om losse tanden vast te zetten. Faraobeugels. 1831: de Belgische monarchie ziet het licht, maar ook de eerste ‘liggende’ tandartsstoel.

Bloei, o land.

Hij spoelde zijn mond een tweede maal.

Toen Angelo vertrok, met een adem van ijskristallen, had hij het gevoel dat de lente nu echt was doorgebroken.

15

'Pothoer!'

Want zo gaat dat: je wordt door Studiebegeleiding verzocht een student met topsportfaciliteiten, die net terug is van een wereldkampioenschap kleiduifschieten (of was het kitesurfen?) in Timboektoe *or wherever*, extra briefing te geven voor jouw juni-examen, dat hij in principe niet kan afleggen omdat hij de cursus niet gevolgd heeft, maar toch mag afleggen vanwege zijn speciaal statuut, wat voor jou een hoop extra werk betekent om voor dit ene, zo al geprivilegieerde individu een alternatieve en dus noodzakelijkerwijze verdunde proef te verzinnen, met de frustrerende randgedachte dat de andere, reguliere studenten, die geen klompjes klei uit de lucht kunnen schieten of aan een vliegertje bengelen, of daartoe het geld niet hebben, de onversneden test op hun bord krijgen, wat je rechtvaardigheidsgevoel doet steigeren, en dan moet je de prins in kwestie vooraf ook nog eens audiëntie verlenen om toch zeker te zijn dat hij zijn jantje-van-leidenopdracht goed begrijpt, want stel dat hij straks zakt en hij stapt naar de Raad van State met het argument dat hij onvoldoende was voorgelicht, dan ben jij (en bij uitbreiding het departement) de klos – dus mag je op de eerste dag van je paasvakantie al naar de campus bollen en...

Eleonora sneed haar monologue intérieur de pas af toen ze de snelweg verliet en aanschoof bij de eerste rotonde. Zoals altijd dacht ze de weerspiegeling van de zee al te zien in de lucht boven de verre flats, en, zoals altijd, deed deze zelfsuggestie haar goed, verdreef ze de muizenissen, gaf een warmer aura aan de dingen. Zichzelf een glas riesling belovend, straks, op het dakterras, werd ze zich bewust van de onredelijkheid van haar tirade. Die student was best meegevallen: aardige jongen, niet onknap, heel coöperatief, zich bewust van zijn bevoorrechte positie. En ze wilde hem ook geloven dat het leven van een topsporter (topkleiduifschieter? topkitesurfer?) geenszins een met rozen bezaaid pad naar roem en rijkdom was, zeker niet als er in de marge ook nog een diploma diende te worden behaald. En dat hij haar had begroet met 'Dag, Eleonora' – nou ja, de nieuwe tijd, moest ze maar denken. Mevrouwen en meneren bevolkten de vorige eeuw. 'Dag, Eleonora' was overigens, vergeleken met de aanhef van de meeste studentenmails, een toonbeeld van etiquette.

Hoi-hallo.

En toen hoorde ze piepende banden aan haar linkerzijde, en zag een 4x4 op tien centimeter van haar portier met knikkende neus tot stilstand komen. Slechts enkele seconden waren nodig om de situatie te doorzien: ze bevond zich op de rotonde, waarop de 4x4 zich kennelijk ook had bevonden op het moment dat ze invoegde, blijkbaar zo abrupt dat deze geweldenaar, daarnet nog volslagen onzichtbaar, nu opeens op grijpafstand naast haar stond.

Wáár kwam dat Japanse gedrocht vandaan?

In een reflex had ze geremd, wat meteen een mini-opstopping tot gevolg had, begeleid door getoeter dat in dominostijl de rotonde rondging.

Ze ademde diep, met bonzend hart, stak een verontschuldigende hand op naar de chauffeur van de Subaru, die ze in het tegenlicht van de ondergaande aprilzon enkel ontwaarde als een hoge schaduwvlek achter het gefumeerde glas.

Ze vertrok, nam de eerste uitrit.

Net toen ze haar kalmte terugvond werd ze ingehaald. Ze keek opzij: de Japanner. Luid claxonnerend bleef hij naast haar rijden, tot een tegenligger hem weer terug en naar rechts dwong. Als een caravan ging hij aan haar bumper hangen. Meer getoeter, woeste gebaren, zoals ze zag in haar spiegel. Daarbinnen leek een krijgsdans ingezet.

Haar hart schoot de hoogte in. De Subaru loste voor geen centimeter. Als zij onverwacht moest remmen, was er geen schijn van kans dat hij op tijd zou kunnen stoppen.

Rood licht, hun combinatie viel stil. Ze hoorde een portier klappen en een seconde later verscheen er een mannenhoofd naast haar gezicht. Woeste mimiek, een wijsvinger begon tegen de slaap te hameren.

'Hey, ben jij blind?!'

Eleonora reageerde niet.

'Waar heb jij leren rijden?!'

Haar blik zocht het rode sleuteltje op haar dashboard. Het stond aangelicht.

'Wil je weleens antwoorden? Ben je doof?'

Ze tuurde naar het verkeerslicht, biddend tot alle goden

van de wereld dat het snel op groen zou springen, hopend dat ze dit kon bespoedigen door zo hard mogelijk te staren. Hopend ook dat haar voorwaartse blik en ogenschijnlijke apathie het monster in het zijraam zouden ontmoedigen, zoals prooidieren zich aanvallers van het lijf houden door te verstarren, voor dood te spelen, wat de vijand op den duur zijn interesse doet verliezen of in verwarring afdruipen.

'Hoer! Vuile pothoer!'

Ze beet op haar lip.

'Ben je doof?! Pothoer!'

Een vuist bonsde tegen het glas. Ze gilde. Het licht sprong op groen en plankgas stoof ze weg. Pas bij de jachthaven durfde ze in de spiegel te kijken. De Subaru was verdwenen.

Ze parkeerde in een zijstraatje, liet haar stuur los. Bijna een voor een moest ze haar trillende vingers daartoe instrueren; ze dacht knokkels te horen kraken.

In haar studio viel ze huilend op de bank.

Het sloeg nergens op. Hysterie? Ze herkende de scène uit films: aangerande vrouwen die snikkend onder de douche stonden, zich van kop tot teen schrobbend in een wolk schuim.

Ze was niet aangerand. Maar de hele avond had ze behoefte aan wassen. Die vieze taal bleef plakken. Die stem. 'Hoer! Pothoer!' Het galmde na in haar oorgangen. Nog nooit was ze zo genoemd. Zelfs in de eindfase met Younes, toen er behoorlijk werd doorgepraat, was dit register nooit aangesproken.

Ze keek naar de zee, ver en diep onder haar raam. Die

eindeloos aanrollende waterwals, die de aarde al schoonspoelde sedert het begin der tijden.

Toen het Skype-uur aanbrak, nam ze haar tablet, maar legde het toestel na enige aarzeling weer weg. Ze had opeens geen zin in San Francisco.

Ze ging wandelen langs het strand, dronk een koffie in het Europa-centrum. Moest tot haar verwondering vaststellen dat ze zich het gezicht van de woesteling onmogelijk kon herinneren. Een driftige vinger, een stem – dat was alles.

Terug thuis belde ze haar moeder. Hoorde de blijde uitroep aan de andere kant, genoot ervan, van het 'Noortje'. Het werd een lange sessie. Honderden items waren aan een update toe, ze was al drie weken niet langs geweest. Ze vertelde over Jonathan, over de hogeschool. Hoorde het verslag aan van de herstellingswerken aan het ouderlijk chalet in Normandië. Reageerde niet toen er herinneringen werden opgehaald aan die fantastische zomer van wanneer-was-het-ook-weer, toen zij en Younes er twee weken hadden doorgebracht, de uitstap naar Mont Saint-Michel met hun viertjes, en wat een schat Younes was geweest: petanque met pa, héérlijke tajines onder de kastanjeboom, weet je nog? Ach, die Younes. Zie je hem nog? Hoor je hem nog? Nee, zei Eleonora. Ze dacht aan de slotbijeenkomst bij de notaris (herfst vorig jaar?), die nog twee krabbels had gewild onder iets bancairs, waarna ze elkaar vaarwel hadden gezegd op de stoep, definitief, zonder enige aanraking – maar wel met een (half) excuus van Younes voor het 'Ik vermoord je!' tijdens zijn laatste telefoontje. Had ik niet mogen doen, zei hij. Wat ik wou zeggen was: zoveel ben je me waard. De keuze tussen bloed en vrijheid, mijn laatste grens. Begrijp je dat?

Ze had geknikt, niet in staat tot een antwoord.

Hij had nog iets gezegd: dat die schoft geluk had niet in zijn land te wonen.

Zo had ze hem nog nooit horen praten over Marokko. België was zijn land.

Jonathan: grenzenverschuiver.

Intussen had haar moeder het over neven en nichtjes, en terwijl ze luisterde naar hun ontwikkelingsgang en aankondigingen van zwangerschappen, bedacht ze dat ze niks meer wist van Younes: niet of hij nog werkte voor LRQA, noch of hij een nieuwe relatie had, noch of hij nog in het rijtjeshuis woonde dat ze destijds samen huurden.

'En jij?' vroeg haar moeder. 'Nog geen kriebels in de buik?'

Eleonora forceerde een lachje. Even leek het alsof haar moeder weet had van haar zwanensprongen. Experimenten die intussen, tot tweemaal toe, waren uitgebreid met videodemonstraties voor San Francisco, met (de tweede maal) een solerende Jonathan aan de andere kant. Alles op zijn verzoek. Onmiddellijk voegde haar onderbewuste die voetnoot erbij, alsof ze zich tegenover haar moeder moest verantwoorden: op zijn verzoek. Want zo was het gegaan: zodra Jonathan hoorde dat zijn cadeau in gebruik was genomen, had hij expliciet gevraagd, gesmeekt bijna, toeschouwer te mogen zijn. Wat ze, gevangen in een vreemde mix van ergernis, verlegenheid, afkeer en opwinding, niet dadelijk had toegestaan. Maar hij verging van eenzaamheid, had hij gezegd, van verlangen, als een junk naar de spuit, '*craving, goddammit*', naar haar '*glorious body*'. Een scène uit een film was haar voor de geest gesprongen: een Amerikaanse jongen, wegkwijnend in de hel van een Turkse gevangenis, die na maanden bezoek krijgt van zijn meisje en halfgek van hunkering zijn gezicht tegen het glazen tussenschot duwt dat hen scheidt, biddend om haar borsten, die ze in tranen ontbloot en aanbiedt, waarna hij grommend als een dier de hand aan zichzelf slaat.

En ze was bezweken.

'Nee,' zei ze tegen haar moeder. 'Die buik kan nog wel even wachten. Maar zijn tijd komt.'

Jonathan, grommend als een panda achter het glas van haar monitor. Zijn wrikkende arm, die zijn borstjes deed schudden onder het USF-shirt. Hun onwennigheid achteraf. Zijn dankjewel. Zijn latere sms: of ze haar virusscanner wel up-to-date hield? 'Geen publiek bij ons Zwanenmeer, *right*?' Daar had ze niet eens aan gedacht. De paniek sloeg haar om het hart bij het idee van cybergluurders, of – nog erger – dat hun sessie viraal zou gaan.

En opeens, terwijl haar moeder haar polste over zomerplannen en ze uitlegde dat die niet konden bestaan zolang Jonathan in Amerika was, schaamde ze zich, heel erg. Voelde haar hart krimpen bij de plotse overtuiging dat ze zich had verlaagd, dingen had gedaan waarover – puurste bewijs van hun ongehoordheid – ze met niemand zou durven spreken, niet met de beste vriendin. Ook al omdat ze niet dat soort vriendinnen had. Maar ook niet met haar moeder, bijvoorbeeld, voor wie ze nooit iets verborgen had gehouden. Als kind al niet. Haar moeder was altijd haar biechtvader geweest, vanaf het moment dat dit begrip opdook in een boekje van tante Rebecca (de herinnering kwam opeens naar boven, terwijl aan de andere kant van de lijn het paasdiner op de agenda verscheen: 'Waarom kom je ook niet, Noortje? Dat zou fantastisch zijn!'). Ze was negen, of tien. Een verhaal over kruisvaarders, die net voor de strijd hun zonden biechtten bij een oude monnik. Vergiffenis, en toegang tot de hemel, in ruil voor bekentenis. Het had haar gegrepen: fouten die omgezet konden worden in hun tegendeel, in verdienste, in pasmunt voor iets beters. Zoiets was haar nooit verteld. In haar ontkerkelijkt milieu hing aan fouten een prijskaartje. Geen snoep, of vroeg naar bed. Er was wel haar Eerste Communie geweest (ze ging naar een katholieke school, omdat die slechts twee straten verder lag en haar vader zijn ideologische beginselvastheid had opgeofferd voor comfort en veiligheid). Toen had de klas een collectief mea culpa aan allerlei pseudovergrijpjes opgesteld, waar de juf ieders naam onder plakte. De brief ging in een envelop met 'Jezus' erop, en werd afgehaald door een meneer in een zwart hemd met witte boord, die zich voorstelde als pastoor Jan. Vanaf nu, had die gezegd, waren ze 'verzoend' met de Heer. Ze herinnerde zich dat zeer goed, omdat ze 's middags thuis verteld had dat ze met de Heer gezoend had, wat lang een gesmaakte familiemop bleef. Samen met haar uitroep 'Mag ik het varkentje?' enkele jaren eerder, tijdens het kerstdiner bij oma Julienne, zus van tante Rebecca, toen Julienne de taart binnendroeg, met een Heiland-baby van roze marsepein in de slagroom gedrukt.

Die Eerste Communie: de mis, pastoor Jan in de weidse gewaden van een tovenaar, het feest, de nieuwe jurk –

het was allemaal groots en meeslepend, een prachtig kostuumstuk waarin zij een hoofdrol speelde. Het cadeau van tante Rebecca, afgeleverd met de post: een gouden kruisje aan een gouden armbandje, in een met fluweel bekleed doosje van gemarmerd karton. De ruzie tussen haar vader en haar moeder, of zij, Eleonora, dat 'ding' (haar vader) wel moest dragen. Hoe haar moeder het debat won, in elk geval wat de grote dag zelf betrof. Hoe Eleonora tijdens de mis het kruisje wel om de vijf seconden betastte, bekeek. Wat haar niet belette te zien dat haar vader ostentatief bleef zitten toen alle andere papa's opstonden om 'de tafel te delen'. Hoe ze bad: Jezus, vergeef het hem.

De volgende dag trok de wereld opnieuw haar seculiere pak aan. Het vrome juweel verdween in zijn doosje, ten koste van tranen en de vage belofte van haar moeder dat ze het opnieuw om mocht wanneer het weer eens feest was. De biecht deelde een gelijkaardig lot. Misstappen bekende je niet meer, ze werden weer ontdekt, en dan hing het ervan af door wie hoe hoog de rekening opliep. Zo kon je thuis beter door vader dan door moeder betrapt worden. Hij zat te krap in zijn tijd om diep te kunnen ingaan op de strafmaat, maakte zich er doorgaans vanaf met een 'Zorg dat het niet meer gebeurt!', in zijn meest barse stem. Die waarmee hij 'Long Tall Sally' zong.

Haar moeder hield het godsbesef nog enigszins overeind. Een lightversie. Ze geloofde in 'iets', een soort transcendente energie, wat haar af en toe, op reis, een kaars deed branden in verre kathedralen. En verder zag Eleonora op MTV Madonna een kerk in vluchten, de naakte armen strekken naar het beeld van een koffiekleurige heilige, die echte tranen huilde, waarna hij tot leven kwam en onder het schijnsel van brandende kruisen The Queen of Pop om de hals viel.

Enkel 'het boekje van tante Rebecca' bleef een vast gegeven, betrouwbaar als de seizoenen. Het ordeblad van Rebecca's klooster, dat onder de swingende naam *Ons Predikaat* viermaandelijks van de monastieke persen in hun bus viel, en telkens een jeugdverhaal bevatte, dat Eleonora altijd en haar broer nooit las. En zo stonden op een dag die kruisvaarders voor de deur. Soldaten van God, zuiverheid in ruil voor berouw. De 'biechtvader' als plaatsvervangend rechter op aarde. 'Zonde, sacrament, penitentie, absolutie.' De woorden leken sleutels tot een oud mysterie, een volwassen geheim dat slechts enkelen kenden. Wat stond dat ver van de klasbrief aan Jezus.

Ze vroeg haar vader of hij een biechtvader had. Half denkend aan Father MacKenzie, uit het liedje waaraan ze haar naam dankte. Hij zei dat Noortje beter echte sprookjes kon lezen. Tante Rebecca leefde in de middeleeuwen, en die boekjes van haar moesten verboden worden.

Kort daarna brak ze het kristallen paard in de hal. Ze stak de schuld op Zorro, hun maffe labrador. De hond kreeg een standje, dat hij onder euforisch geblaf aanhoorde, wild tegen mama opspringend om haar gezicht te likken. Maar toch: toen ze nadien in zijn ogen keek, wrong er iets. De volgende dag bekende ze. Haar moeder was vol lof. Was ze nu ook bij God gezuiverd? Ja, zei mama, met enige aarzeling.

Veel later had ze het erover met Younes. Die moest thuis navraag doen. In de islam bleek de biecht niet te bestaan. Alleen Allah kon aangesproken worden voor vergeving, zei hij, niet een ander mens, want die was ook maar een zondaar. Geen biechtvaders dus. Geen *ego te absolvo*. Je kon enkel rekenen op Allahs goedwillendheid. En daar was je nooit zeker van. Wat Younes een goede zaak vond. Christenen hadden een vrijgeleide voor elke wandaad die hun inviel: ze kregen gegarandeerd pardon – even 'Sorry!' en alles was weer oké. Bij Allah bleef het afwachten, dus kon je maar beter meteen de weg van de deugdzaamheid kiezen.

Gesteld dat je in die rimram geloofde, voegde hij eraan toe.

Nog later, aan de universiteit, zag ze haar studies soms in hetzelfde licht. De psychologie als een collectieve, wetenschappelijke biecht van de menselijke soort. De Homo sapiens die zijn ziel ontbloot, met al zijn angsten, fantasmen, driften en tics. Iedereen een Tourette-geval, in mindere of meerdere mate.

De helende kracht van ontsluiting, van ophalen en bovenspitten.

Ze schreef er een artikel over in *Psychologie*. Bestreed Foucaults visie op de biecht als louter verdrukkingsmiddel van de gevestigde Kerk. Betreurde de machtsgreep van de moderne biechtvaders: Oprah, dr. Phil. Zag in de snotterende bekentenissen van overspelige tv-dominees de totale ontsporing van sacrament tot poppenkast. En dacht uiteindelijk: Allah heeft gelijk.

'Noortje? Ben je er nog? Eleonora?'

Eleonora – net als vroeger, wanneer ze ter verantwoording werd geroepen. Haar vader zei altíjd Noortje.

'Ja.'

'Waarom antwoord je niet?'

'De verbinding viel eventjes weg, sorry.'

Haar moeder stelde de vraag opnieuw. En terwijl Eleonora antwoordde, hoorde ze een stem, diep in haar binnenste: Je bént een pothoer.

16

Een levend standbeeld.

Een eenzaam, levend standbeeld op zijn weg naar Thaïs, dat een marmeren indiaan voorstelde, bij een etalage in de Schelde-metropool. En niemand die halt hield om te kijken.

Angelo had geen idee hoe dit te interpreteren. Of dit enig licht vooruitwierp op zijn afspraak. Hij speurde zijn verleden af naar momenten waarop indianen een rol hadden gespeeld. Of marmer. Hij vond er geen. Zocht naar een link tussen locatie en prairie. Niets – behalve dat verderop de Amerikalei begon.

Hij gooide 20 cent in het schaaltje, de indiaan stak een arm op. Howgh. Angelo schrok bijna. Het leek werkelijk of dode materie tot leven kwam, steen mens werd. Dit had Phidias moeten zien, dacht hij.

Hij vervolgde zijn weg, als iemand die een mirakel had bijgewoond. Don Giovanni die de Commendatore heeft overleefd.

Ongetwijfeld een teken.

Een gaatje, jawel. Voel je? zei Thaïs.

Ze wrikte een haak achter zijn kies en gaf een rukje. Angelo voelde zijn hoofd omhooggaan. Ja, zei hij. Hoe zou het anders? Bewees dit dat er een gaatje was? Nee.

Het bewees dat Thaïs aan zijn tanden rukte, al dan niet een gaatje gebruikend als aangrijpingspunt. Maar hij vertrouwde haar, voor honderd procent. Er was een gaatje, en zij mocht het vullen. Alleen zij.

'Angelo,' had ze gezegd toen hij binnenkwam, 'hoe gaat het? Ga zitten. Gewone controle?'

Voor hij het besefte, lag hij achterovergekanteld in de tandartsenstoel – uitgevonden in 1831, samen met de Belgische koningen. Net als alle vorige keren kwam Thaïs naast hem staan, trok het maskertje onder haar kin voor haar neus en mond, en zei gesmoord: 'Oké, Angelo, mond open, asjeblieft.' Niet: Angelo, kom op, hoe zat dat met die sms? Wat moet ik daar in godsnaam van denken? Ben je op je hoofd gevallen? Zal ik mijn vriend/man/echtgenoot/partner op je af sturen?

Angelo wist helemaal niet of zo'n ///-persoon bestond, maar daar ging hij van uit. Op alle orchideeën zaten vlinders.

'Klein prikje, Angelo... Komt-ie, hoor. Gaat het?'

Haar hand onder zijn kin, de geur van meibloem. Haar donkere stem. Haar ogen, zo dichtbij en groot dat je ze niet in één keer kon vatten. Zijn blik hechtte zich beurtelings aan het ene en aan het andere, verzonk in de blauwe irissen: donkergerande vijvertjes in wit parelmoer.

Hij mocht spoelen. Zijn onderlip ging al in gevoelloze modus; hij kwijlde wat, bette zijn stijve mond met een doekje. Een mond van steen. Thaïs trok haar maskertje naar beneden, ging aan het bureau zitten en begon op het pc-klavier te tokkelen. Angelo herkende het scenario. Even wachten tot het helemaal dik wordt, zei ze hier meestal. Telkens dacht hij dan aan die talloze mannelijke patiënten die daarin wellicht stof hadden gevonden voor een schuine repliek, iets waartoe hij zich nog nooit had verlaagd, hoewel – moest hij toegeven – ook zijn geest telkens die kant uit schoot. Maar nu zei ze niets. Ze kent me, dacht Angelo, we weten wat we aan elkaar hebben, we zijn op elkaar ingespeeld. Haar huid: gebronsd, haar teennagels lichtpaars gelakt.

Hij kruiste zijn armen. Wat zat ze daar te tokkelen? Zocht ze zijn gegevens? Wat bevatten die, behalve de plattegrond van zijn gebit? Kon het werkelijk zijn dat ze zijn sms nooit ontvangen had? Nooit nagetrokken had? Nu al vergeten was? Zat ze te wachten tot híj erover begon, zoals een gehaaide rechercheur? Of als een hartstochtelijk verliefde vrouw, die bang is zich te branden indien ze zelf het initiatief neemt?

Hij hield het niet uit.

'Leuke vakantie gehad?'

Wakantie. Demosthenes, met een keitje te veel in zijn mond. Thaïs keek op. Ze glimlachte, leunde achterover, waarbij een opwaartse welving ontstond die diezelfde mannelijke patiënten zeer bevallen zou zijn.

'Ja. Maar veel te kort,' zei ze.

'Op reis geweest?'

Ja, Zuid-Spanje. Ze schetste het parcours van een Andalusisch weekje dat 'wij' hadden voltooid door 'ons' heel relaxed in een huurauto van A naar B te begeven, genietend van niets-moet, en 'ons' toch bewust van 'we'-zijn-hier-toch-maar, in een van de meest fascinerende culturele gebieden. Sevilla, Granada, Cordoba. Ach, zo mooi. Was hij er al geweest?

'Enkel Sewieja.'

Een citytrip met Marloes, hun laatste krokusvakantie. Maar dat zou hij een volgende keer vertellen. Wanneer hij weer kon praten, met zijn gewone brille. Hij voelde de woede die hem telkens overviel wanneer hij belemmerd werd in zijn communicatie. Wanneer iemand hem voortdurend onderbrak. Wanneer hij, bellend naar een helpdesk, door twintig keuzemenu's heen moest, waarvan geen enkel zijn probleem omvatte, en uiteindelijk een stem hoorde in een callcenter in Bangkok.

Die wij/ons/we kon best een vriendin zijn, dacht hij. Of een zus, haar moeder, een tante. Zoals hij oom Neel had, had zij misschien tante Nel.

Prachtig land, zei Thaïs. En dat de Spanjaarden zo vriendelijk waren, zo behulpzaam. Alleen hun vreemdetalenkennis kon beter.

Ze is me aan het villen, dacht Angelo. Doen alsof er niets aan de hand is, lekker kletsen, cultuur, Iberië, blabla, terwijl ze heel goed weet wat er tussen ons hangt, welke woorden staan te schreeuwen om uitgesproken te worden. Een tafereel van lang geleden kwam hem voor de geest. Een klaslokaal in het Onze-Lieve-Vrouwecollege, het is wiskundeles, de leraar heet Pissebed, hij is niet geliefd. Net voor hij binnenkwam, heeft iemand een dode muis op zijn tafel gelegd. Pissebed, die het beestje moet hebben gezien, reageert niet, zet zijn tas netjes naast het kreng, neemt zijn boek eruit en begint aan de les. De hele tijd blijft hij stoïcijns formules op het bord schrijven, stellingen uitleggen, assenkruisen tekenen. Af en toe gaat hij op zijn tafel zitten, zoals hij altijd doet, benen zachtjes wiegend terwijl hij praat. Op drie centimeter van zijn jaspand ligt de muis. Achteraan in de klas rekken leerlingen hun halzen om te zien of die misschien van de tafel is gevallen. Nee, hij ligt er nog, en Pissebed laat hem liggen tot hij de les afsluit, de opdracht voor de volgende dag dicteert, en met een goeiemiddag de klas verlaat.

Zo nam nu ook Thaïs hem te grazen. Neutraliseren door niets te doen. Passiviteit als genadeslag. Aanvaller in zijn hemd, broek op de enkels: men vindt hem de moeite van het gevecht niet waard. Over Granada vertelde ze nu: hoe 'wij' op weg naar het Alhambra op de Plaza Nueva aangeklampt werden door een bedelaar. Een figuur die aan alle clichés beantwoordde: vuil, in lompen gehuld, kreupel. Benen een onontwarbaar bochtig kluwen, via zijn oksels hing hij in krukken. *Por favor*, een beetje geld, *por mis hijos!*

'Zijn kinderen! Hoe hij die heeft gemaakt, God mag het weten, zei Jan.'

Angelo hoorde de naam vallen. Het we/wij/ons splitste zich met de klap in een zij en een hij, als gescheiden door een bijlslag, die ook hem trof, midden in zijn schedel. Hij duizelde, begreep de boodschap die Thaïs hem stuurde. Haar verhaal was het antwoord op zijn bericht. Een parabel.

Ze ging verder: dat de kerel heel lastig deed, agressief werd. Dat Jan enkele muntjes gaf. Om ervanaf te zijn. De bedelaar zei *gracias*.

'Ons geweten herademde. Meteen valt hij een vrouw op het lijf. *Por favor, por favor!* – met diezelfde jammerende stem. De vrouw weigert, hij klampt aan, en plots – schijnbaar uit het niets – duikt een Guardia Civil op.'

Evenzeer beantwoordend aan alle clichés, zegt ze: kiemvrij uniform, spiegelende laarzen, zonnebril. Hij snauwt de bedelaar toe dat hij moet ophoepelen, maar de man weigert. Er komt kletterende ruzie van, mensen blijven staan, decibels zwellen tussen de gevels, de bedelaar spuwt schuim van razernij, de agent rukt aan zijn armen, vergeefs.

'We vroegen ons af of dit allemaal wel in orde was. Iemand, zei Jan, moest deze houwdegen vragen of hij misschien nog onder Franco gediend had.'

Alle omstanders kijken toe, onzeker, maar niemand zegt iets. Ook niet als plots het onvoorstelbare gebeurt: de Guardia rukt de krukken onder de sukkel vandaan en schopt hem het plein af, waar hij wellicht te veel eurokrachtige toeristen afschrikt. De muntjes in zijn hand kletteren in het rond. Hij verdwijnt, moord en brand schreeuwend. Zijn krukkenloze gang is krankzinnig, grotesk, als een zeeleeuw in het circus. De Guardia gooit de krukken in een nis, klimt op zijn glanzende motor, scheurt weg.

Thaïs schudde haar hoofd.

'We zien iemand ons geld oprapen. Dat is van ons, wil ik zeggen. Maar ik doe het niet. Uit schaamte. Ook Jan zwijgt. We beseffen dat we ons spreekrecht kwijt zijn.'

Ze gaf twee tikken op de Enter-toets, kwam overeind, trok handschoentjes aan.

'Ken je dat gevoel?' vroeg ze. 'Dat gevoel van: hier klopt iets niet, maar er zal wel een reden voor zijn? Iets wat ik niet weet, iets wat het legitimeert?'

Angelo knikte. Het gevoel dat je ook krijgt bij krankzinnige sms'jes, dacht hij, waar wel een verklaring voor zal komen, als je maar lang genoeg wacht. Hij bekeek zijn armen die vol kippenvel stonden, opgeroepen door het gepiep van de handschoenen.

'God weet hoeveel kwaad er zo dagelijks over de wereld passeert, in stilte, zonder protest, omdat iemand denkt, of zichzelf wijsmaakt: hier zal wel een reden voor zijn.'

Angelo knikte weer. 'Weel,' zei hij, 'heel weel.'

'Stilte is zelden het goede antwoord,' zei Thaïs. 'Zelden de juiste keuze.'

Angelo zweeg. De woede over zijn verlamde lip deemsterde weg. Hij dacht aan het Plato-motto bij zijn Schopenhauer-scriptie: 'Mannen die hun leven niet besteden aan het nastreven van wijsheid, zullen reïncarneren als vrouw.'

Thaïs tilde het maskertje over haar mond en neus, ging naar de instrumententafel. Ze rommelde wat, koos iets glimmends uit, kwam bij hem staan, trok de lamp naar beneden.

Meibloempjes.

'En,' vroeg ze, 'al helemaal dik?'

17

Reinoud bestelde een nieuwe cognac. Adriaan schonk een royale bel bij. Reinoud dronk, meende de geur van Home Van Dijck aan zijn vingers te ruiken. Maar dat moest inbeelding zijn. Een olfactorisch pavlofje, bij de gedachte aan het tehuis. Dat nota bene had gekraakt van netheid.

De drank viel heet op zijn maag. Ook in zijn hoofd steeg de temperatuur, wat een licht geluksgevoel deed ontkiemen. Of welbehagen – laten we het daarop houden, dacht Reinoud. Voor geluk is het nog te vroeg op de avond. Maar nieuwe inzichten mogen gevierd worden.

'En hij herkende je niet meer?'

'Nee.'

Hij was erop voorbereid geweest. Tijdens zijn lunch op de Vrijdagmarkt (zo lang mogelijk over de spaghetti doen, als een proever, draad per draad, daarna dessert, een koffie, nog een) had hij grondig gerepeteerd wat hij zou zeggen, het adres nog eens gegoogeld, voor alle zekerheid. Het was inderdaad niet ver van de Bijloke.

Home 'Van Dijck'. Niks geen 'Avondvrede' of 'Herfstzegen' – het had hem op een of andere manier gerustgesteld.

Maar toen hij eindelijk bij de receptie stond, bos rozen in de ene, jeneverkruik in de andere hand, had een lichte paniek hem alsnog besprongen. Jezus, wat kwam hij doen? Een kriepende rollator passeerde achter zijn rug terwijl hij het kamernummer vroeg. Het triggerde een vluchtreflex, waaraan hij bijna had toegegeven. Maar zijn belofte aan Marianne had het gehaald.

'En zij?' vroeg Adriaan.

'Carla? Zag er verbazend goed uit, voor haar drieëntachtig. Zij herkende me meteen.'

En ik haar, dacht hij. Met een schok, net zoals hij er vroeger nooit naast had kunnen kijken hoe sterk moeder en dochter op elkaar leken.

'Je weet ons dus toch nog te vinden, zei ze. Een beetje smalend, maar dat heeft ze altijd gehad: zo'n toontje van dat-zal-wel. En ze had natuurlijk gelijk.'

Adriaan knikte, sloeg een paar toetsen aan op zijn laptop, schudde misnoegd zijn kale hoofd. Hij snoof, waarbij iets onbestemds uit zijn hangsnor vloog. Klapte de computer dicht.

'Gangsters,' zei hij, 'die gasten van Microsoft. Te leeg om deugdelijke beveiliging te leveren. Verkopen, verkopen, en daarna moet je 't zelf maar zien te redden.'

Miekrousouft – Reinoud glimlachte. Ik houd van deze man, dacht hij. Het dialect dat hij op zijn taal prikt, als vlaggetjes op een landkaart. Wat hij zegt, wat hij doet, hoe hij eruitziet: elke keer opnieuw een verrassing. Adriaan nam het gele brilletje met rode stippen van zijn neuspunt en legde het naast de computer. De Mongoolse woestheid van zijn verschijning herstelde zich. Waarom zou hij in godsnaam zo'n bril gekocht hebben, dacht Reinoud. Zou hij die werkelijk mooi vinden? Is ook dat een statement? Heeft hij er succes mee bij de vrouwen, zoals paradijsvogels met hun potsierlijke staart?

Darwin in de Groene Hoed.

De gelagzaal was matig bezet. In de hoek zaten twee buitenlandse vrouwen een stratenplan te bestuderen. Gevulde, mediterrane madonna's, in drukke discussie. Reinoud probeerde de taal te horen – Italiaans?

'Maar voor de rest zijn ze nog gezond?'

'Ja. Nou ja, Willy heeft dus die trombose gehad. Met alle gevolgen vandien.'

Hij nam een slok.

'Veel te lang gewacht,' zei hij.

'Met de dokter?'

'Neenee,' zei Reinoud. 'Ik bedoel: ík heb veel te lang gewacht – met mijn bezoek.'

Adriaan haalde zijn schouders op.

'Tja, zo gaat dat.'

Precies, dacht Reinoud. Zo ging dat. De behoefte hen te zien was gewoonte geworden, daarna plicht. Tot ook dat gevoel stierf. Net als Marianne.

'Wisten ze dat het haar verjaardag was?'

'Willy niet. Willy weet niets meer. Carla wel. Vijfenzestig jaar, zei ze. Wat is dat lang. Maar ik voel het nog, zei ze. En daar kwam het verhaal van Mariannes geboorte weer, de klungelige keizersnede: heb dat honderd keer gehoord.'

'Oude mensen hebben dat. Schieten altijd weer in hetzelfde spoor.'

Reinoud zag de kleine kamer weer voor zich, de spaarzame meubels die hij zich nog goed herinnerde uit het boerenhuis in Hansbeke. Hoe lang was hij gebleven? Zeker meer dan twee uur. Pratend met Carla, foto's bekijkend, terwijl Willy zwijgend uit het raam staarde, met lippen die constant in beweging waren, alsof hij een vezeltje tussen zijn tanden vandaan haalde. Of bad. Af en toe neuriede hij iets, en één keer barstte hij uit in een lied over het trouwfeest van de koster en zijn meid. Hij zingt graag, zei Carla, en de dwaaste dingen eerst. Van voor de oorlog, toen we jong waren.

Gezangen uit het interbellum: Reinoud had zich een archeoloog gevoeld die aan de rand van de groeve naar beneden kijkt. Met de soundtrack erbij. Had de waarde van het moment beseft. Geapprecieerd. Hoe elke actualiteit opeens uit de middag gefilterd leek, zelfs toen de koffie werd geserveerd en hij ook een kopje kreeg, en door de open deur het geluid binnenwaaide van een televisie die te hard aanstond in de aangrenzende kamer.

'Je mag dat niet bruuskeren,' zei Adriaan. 'Alles heeft z'n tempo.'

De deur ging open en een jong stel kwam naar binnen, veel jonger dan het doorsnee Groene Hoed-publiek. Het meisje vroeg of ze het toilet mocht gebruiken. Ze zag er bleekjes uit. Adriaan wees waar ze moest zijn, ze zei dank je. De jongen bleef onzeker bij de deur drentelen. Alles oké? vroeg Adriaan. Ja, zei de jongen. Oké als ik gewoon wacht? Ja, zei Adriaan.

De twee matrones in de hoek wenkten, Adriaan verdween.

Reinoud stelde zich voor wat zich nu in het damesvertrek afspeelde. Verversingen, doekjes, tampons. Drainage van de oersappen. In Home Van Dijck heerste alleen nog droogte. De verdorring die ook hem wachtte, binnen afzienbare tijd.

Ze hadden de koffie gedronken. Slappe koffie die zijn

maag deed protesteren. Meer foto's bekeken. Albums die Carla uit de kast bleef halen. Hij herkende slechts een fractie, hoewel hij de meeste beelden ooit gezien moest hebben. Of gedaan alsof. Hij herinnerde zich de zondagmiddagen waarop hij uitgenodigd werd mee te duiken in het albumarchief van de Barnevelds, bij bier en appelcake. Urenlang. Hopend dat Mariannes telefoon zou gaan en ze dringend weggeroepen werd, wat niet zelden gebeurde. Marianne had al een gsm toen die nog een halve handtas vulden.

En toen had Carla die pagina omgeslagen.

Reinoud tastte in zijn binnenzak, nam er een frommelig velletje papier uit. Hij bekeek de krabbels nauwkeurig, of hij ze nog kon lezen. Draaide een bierviltje om, vond een pen, begon te kopiëren.

Het meisje kwam terug uit de toiletten – jonger, leek het, opgefrist, klaar om de menselijke soort voort te planten. Ik wens je een dijk van een leven, dacht Reinoud. Een groots en roemrijk nageslacht.

Ze nam de hand van de jongen, de deur klapte dicht, sneed hen weg uit zijn bestaan. Als een abortus – de associatie was er opeens. En dadelijk erna volgde 'Suhaymah'. Zijn gedachten gingen naar de ochtend, de vage hoop bij het ontbijt dat er een bericht uit New Delhi in zijn mail zou zitten. Dat er telefoon zou komen uit het Indiase ministerie van Toerisme. '*Hoy! Special day! Congratulations!*'

Hij controleerde nog eens wat hij geschreven had, stak het viltje in zijn zak. Het papiertje propte hij tot een balletje, dat hij in de vuilnismand achter de bar mikte.

Voltreffer. Hij nam een slok cognac. Ik voel me goed,

dacht Reinoud, zijn lippen vegend. Een geslaagde middag. Kijk, Willy, rozen voor Marianne, zei Carla. En jenever voor jou. Willy had er zijn hand naar opgeheven, als in een gebaar van zegening. Jaja, had hij gemompeld, jaja.

Adriaan kwam terug.

'Hoe is jouw Italiaans?' vroeg hij.

'Niet beter dan het jouwe.'

'Waarom wil iemand in godsnaam Artevelde zien als je thuis Michelangelo hebt?'

In Hansbeke stond een huis. Maar nu niet meer.

Reinoud parkeerde en staarde in ongeloof. Hij had geweten wat hem te wachten stond, en toch schudde hij zijn hoofd. Wat Carla had gezegd, klopte. Alles was weg: boerderij, bomen, schuurtje, moestuin. In de plaats daarvan was een witte villa verrezen, midden in een grasveld dat (de nieuwe eigenaars hadden de weide achter het perceel ook gekocht) zich boom- en struikloos uitstrekte tot aan het kasteeldomein. Smetteloos gras, als een golfterrein.

Reinoud stapte uit, leunde tegen zijn auto. Moment voor een sigaret, dacht hij onwillekeurig. Een mijmerende trek, diep inhaleren. Ooit had hij gerookt, net zoals deze straat ooit een stuk van zijn leven was geweest. Ze waren allebei veranderd. In tegengestelde zin: hij verouderd, de straat verjongd. Een nieuw wegdek, verkeersremmers met bloembakken, nieuwe huizen, die de vroegere gaten hadden opgevuld, zodat alle façades nu netjes aaneensloten, als had de planoloog zich laten assisteren door een tandarts.

Hij probeerde zich voor te stellen waar het hek was geweest, de taxushaag, de houten bank, de kerselaar.

Een politiecombi kwam de hoek om. De agent op de passagierszit keek hem aan. Reinoud knikte, zo natuurlijk mogelijk. Op een of andere manier vreesde hij dat te zien was hoeveel hij gedronken had. Adriaan had hem gewaarschuwd: drie glazen, zou je de bus niet nemen? Ach, zo'n eindje, had hij gezegd. Rechtstreeks naar huis, kan met mijn ogen dicht. Maar eenmaal op de Ring had zijn auto een oude afslag genomen, richting E40, en hij had er niets tegen kunnen doen.

De combi verdween, Reinoud ging weer achter zijn stuur zitten.

Trek in een vierde cognac.

Hij tastte naar het bierviltje, las het handjevol woorden.

Mijn favoriete foto, had Carla gezegd toen op de omgeslagen bladzijde Marianne hem opeens had aangekeken, net als bij hem thuis onder de dromenvanger, guitig, diadeem vonkend in de zon, kersen om de oren.

'Kijk hoe schoon ze lacht.'

Ja, had hij geantwoord. Prachtige foto. De oude kersenboom. De boom van haar grootvader. Zo is het toch?

'Ja,' had Carla gezegd. 'De boom van pépé Louis.'

Willy was gestopt met neuriën toen de naam van zijn vader viel. Maar dadelijk was hij verdergegaan, de ogen op de drukke straat gericht.

'Moet een speciale vent zijn geweest.'

'Het schijnt.'

'Heb je hem niet gekend?'

'Nee. Hij was allang gestorven toen ik met Willy trouwde...'

Soldat milicien Barneveld Lodewijk-Jean. 1ste Regiment

Jagers-te-voet. De *Chasseurs à Pied* die in 1914 bij Luik de stormtroepen van de Duitse *Kaiser* hadden opgevangen, ten koste van bloed en ingewanden, zoveel dat Lodewijk-Jean het heldendom voor bekeken hield en via Holland de boot nam naar Amerika. Naar de kersenvelden van San Francisco, of beter: die van Brentwood, zoals Reinoud uit Mariannes SF-map had geleerd. De lokale kersenteelt concentreerde zich rond Brentwood, een stadje ten oosten van Frisco, waar Louis' oom, Theofiel Barneveld, een farm van 200 *acres* uitbaatte. (Mariannes rode krabbel: = *ca. 80 ha.*) Een van de schaarse processtukken van de krijgsraad spelde: *Brantwood – naast S. Fr., alwaar den gedeserteerden tijdens den oorlog verbleef.* Na de Grote Slachting teruggekeerd. Amnestie gekregen, getrouwd, geboerd, kinderen gekregen, de tering gekregen, gestorven. Ziedaar het cv van Louis Barneveld. En die boom geplant, op het einde van de rit. Toen dat telegram uit Amerika kwam, nietwaar?

Carla had hem aangekeken, vervolgens geknikt.

'Juist,' zei ze. 'Dat telegram.'

'Het heeft Marianne altijd beziggehouden. Hoe dat in elkaar zat.'

'Dat is waar.'

'Ze heeft van alles opgezocht, over de oorlog, over Amerika.'

Carla had weer geknikt, haar ogen op Willy gericht, die een nieuw deuntje had ingezet. Ze leek na te denken, stapte op de kast toe, trok de onderste lade open. 'Daar,' wees ze, 'ik kan er niet meer bij, met mijn knieën.'

Reinoud liet zich zakken, greep een bruine envelop. Carla gebaarde dat hij die open moest maken. Met een felle hand die zei: Vooruit, schiet nu maar op.

Allerlei paperassen, een trouwboekje, een akte.

En een vergeeld, met vetvlekken doortrokken formulier. Reinoud las: Regie van Telegrafie en Telefonie, 6 februari 1939. Verzonden SaFra, 7th and Mission. Afgestempeld Gent Sint-Pieters. Bestemmeling: Lodewijk Barneveld, Hansbeke.

Tekst: *SATURDAY FEB 4 = MARY ANN = 7 AM. UW THEOFIEL.*

18

Ze googelde op 'All My Loving'.

Staarde in verbazing naar het scherm, waarop de meest exotische info verscheen. Op welke dag het nummer werd opgenomen, hoeveel takes er nodig waren, dat aan take 11 drie overdubs werden toegevoegd. Dat McCartney de tekst bedacht terwijl hij zich stond te scheren. Of op een bus, volgens een andere bron. Dat het de enige keer was dat hij tekst schreef voor hij de melodie had.

In den beginne was het woord.

Paul is God.

Dat 'All My Loving' te horen was op het geluidssysteem van het New Yorkse Roosevelt-ziekenhuis op het moment dat John Lennon er dood werd verklaard.

Ze klikte een link aan en belandde bij de vroege Beatles.

Tiener Paul financierde een Bardot-coupe voor een blond liefje, omdat hij kickte op B. B. En in Hamburg trok hij op met strippers, van wie hij – naar eigen zeggen – veel leerde.

Dit gebeurde allemaal voor ze geboren werd. Was allemaal geschiedenis. Opgetekend, omdat iemand het belangrijk vond. Zoals iemand in 33 A.D. optekende dat een Joodse rebel gekruisigd was in Jeruzalem.

'Op weg naar de gym.'

Opgetekend door een vriendin op Facebook, die ochtend.

Ze douchte, een laatste keer, met de kraan op maximum.

Voelde de zondvloed over haar vel.

19

Angelo voelde geen spat zenuwen terwijl hij het nummer drukte. Hij keek op zijn horloge: kwart voor negen. Testte zijn tong en onderlip, zei enkele keren: 'Hallo, met Angelo' – het ging prima. Alles weer levend, alleen zijn mondhoek zinderde nog wat.

Thaïs nam op.

Hij stelde zich voor, verontschuldigde zich dat hij haar gsm-nummer belde, maar het was dringend, zei hij. En op haar praktijk kreeg hij het antwoordapparaat.

Ze vroeg wat het probleem was. Nog altijd pijn?

Ja, dacht hij.

'Nee,' zei hij, 'ik wil over mijn bericht praten.'

'Je bericht?'

'Mijn sms-bericht. Van enkele weken geleden. Ik had er daarnet over moeten beginnen, maar...'

Het kwam er allemaal bijzonder vlot uit. Resultaat van de totale berusting die na zijn thuiskomst in hem was neergedaald. De berusting van de terdoodveroordeelde, die onder aan het schavot nog even moet wachten terwijl de guillotine geolied wordt.

Thaïs reageerde niet.

Tandvullingen gaan al millennia mee. Bij Triëst werd er een gevonden van 6500 jaar oud. Gemaakt van bijenwas.

'Sorry, Angelo, maar kun je wat preciezer zijn?'

Lichte aandrang in haar stem. Bitch.

'Het moet ergens in februari geweest zijn,' zei hij. 'Ik wou iemand een bericht sturen en...'

Drukte per ongeluk het verkeerde nummer, wilde hij zeggen.

Op straat klonk getoeter.

De Sumeriërs geloofden dat cariës veroorzaakt werd door een worm.

'Een nogal gênant bericht,' zei hij. 'Ik had je meteen moeten contacteren, maar...'

Opnieuw stopte hij. Neem over, dacht hij. Neem het initiatief, verdomme. Zeg: Ach Angelo, waarom heb je zo lang gezwegen? Laten we open zijn met mekaar, dwaze jongen. Dan hoefde hij niet met dat 'per ongeluk gedrukt' te komen aanzetten. Want dat zou het einde betekenen. Eenmaal dit op tafel, kon hij niet meer terug naar het-gebeurde-omdat-het-moest. Omdat-ik-niet-anders-kon. Eenmaal de per-abuis-piste ingeslagen, zou zij – gesteld dat in haar een *zweempje* van een gloedje van een eventuele verliefdheid smeulde (hij kreeg het beeld voor ogen van een schipbreukeling op een onbewoond eiland: met koortsige blik draait hij een stokje heen en weer tussen zijn handpalmen, de punt razendsnel roterend in een gat in een boomstronk tot, eindelijk, eindelijk, een flinterdun kringeltje rook opstijgt, waaromheen hij een dotje mos schikt, en hij bukt zich, brengt zijn van droogte gebarsten lippen tot op een centimeter van het ontkiemende brandhaardje en blaast, blaast, o zo zachtjes dat het amper meer dan zuchtjes zijn, maar zie: het dotje gloeit op, hij blaast harder, meer rook wolkt in het rond, slaat om zijn wilde baard, hij voegt takjes toe, geknetter weerklinkt, vlammen verschijnen en met een rauwe kreet springt hij overeind voor een vreugdedans) – gesteld dus dat in haar zo'n vlammetje sluimerde en dat zijn sms dit had aangewakkerd, zou ze het dadelijk uittrappen bij het nieuws dat alles op een vergissing berustte, en dan kon hij wel inpakken. Want vrouwen hielden niet van vergissingen. Van omzichtigheid of toevalstreffers. Vrouwen hielden van de blinde charge, wat ze ook mochten beweren. Vielen voor de uitzinnige krijger die met geheven knots uit de struiken springt, schreeuwend dat hij háár wil, haar en niemand anders, en bereid is daarvoor te sterven. Of zich voor eeuwig belachelijk te maken. Wat op hetzelfde neerkomt.

'Februari,' zei ze, 'dat is een tijd geleden. En waarover ging het?'

Ze beet niet. Hij kreunde binnensmonds. Meer getoeter op straat, harder, ongeduldiger. Het leek voor hem bestemd. Hij besloot tot het alles-of-niets.

'Ik hou van je,' zei hij. 'Ik bedoel, het bericht was: *Ik hou van je, hou van je...*'

Zijn adem stokte. Net als zijn kamer, de stad, het land. Alles hield op met wat het bezig was te doen. Nergens nog getoeter, geen stemmengedruis. Geen overtrekkende vliegtuigen meer, geen treinen, geen scheepshoorns in verre havens. Of misschien hoorde hij ze niet. Zijn vinger trok een guirlande in het Bulgaarse stof op de nachttafel. Eeuwenoude tekens, die hij straks zou moeten ontcijferen.

Thaïs verbrak het continuüm.

'Dat heeft me niet bereikt, Angelo,' zei ze.

Zoals men zegt: Er zit een vlekje op uw long.

Hij hoorde dat het waar was. De waarheid heeft haar

eigen muziek, haar eigen ritme. Bach: te herkennen na de eerste seconde. Een cadans van millennia. Niet in te wisselen voor welke modegril dan ook. Onverslijtbaar, en precies daardoor innovatief. Een lied van wind en aarde.

Hij wachtte, maar er kwam niets meer.

'Het was ook niet voor jou bestemd,' zei hij. 'Ach, dit is zo gênant. Het bericht was voor... nou ja, iemand anders. Een vergissing, een ongelukje. Mijn excuses. Ik had je meteen moeten contacteren, maar ik heb het zelf pas nadien ontdekt. Dat ik het verkeerde nummer had gedrukt. En aangezien jij niet had gereageerd, dacht ik... Ik dacht dat...'

In de Van Breestraat kwam het verkeer weer tot leven.

Ook Homeros vermeldt de tandenvretende worm.

'Er heeft me niets bereikt, Angelo. En nu ik erover denk... Februari, zei je? Ben mijn telefoon kwijt geweest in februari. Gestolen. En daarna was er een probleem met de activering van mijn kaart. Wellicht is dat de verklaring?'

'Wellicht.'

'Dus je hoeft je geen zorgen te maken.'

'Oké.'

'Alles oké verder? Geen pijn meer?'

'Nee.'

'Mooi. Tot ziens, Angelo.'

'Tot ziens.'

'*O sieh! Wie eine Silberbarke schwebt der Mond am blauen Himmelssee herauf. Ich spüre eines feinen Windes wehen hinter den dunklen fichten!*'

Silberbarke – zilverschuit. *Fichten* – dennen. Angelo zag de verbleekte potloodnotities: vertalingen van zijn hand, tekens uit een tijd van tien jaar geleden. Hij herinnerde zich dat hij, onderweg naar *fichten, ficken* was tegengekomen in het woordenboek. Neuken. '*Liebe Thaïs, ich möchte dich ficken. Hinter den dunklen fichten.*'

Fuck you, you fucking fuck.

Hij legde het tekstboekje weg, nam de afstandsbediening, stelde in op 6.

Hij leunde achterover, luisterde. Naar het afscheid, het duisterende woud. Waar het beekje zingt, zo welluidend. De bloemen verbleken in de schemer. Waar iemand wacht op een vriend om samen te genieten van de avond. De vogels zwijgen, de wereld is dronken van leven en liefde. Grommende fagotten, een kronkelende hobo, als een opgeschrikte slang.

Himmelssee: *See* in de zin van 'zee', of van 'meer'? Hij herinnerde zich de ontdekking dat er werkelijk een Hemelmeer bestond. Ergens in Noord-Korea, een kratermeer, hoog op een vulkaan. Er zou een monster in huizen. Een Nessie met spleetogen.

Het lange, symfonische intermezzo.

Dragende stoten van hoornen en trombones, overgenomen door cello's. Fade-out van houtblazers, stilte. De ruiter is aangekomen, stijgt af met de beker van het afscheid. *Ein Prosit!* Hij zal vertrekken, voorgoed, de bergen in, op zoek naar het thuisland, naar rust voor het eenzame hart. Maar hij heeft troost: bij elke lente bloeit de aarde weer op, wordt ze weer groen, onder een blauwe hemel, overal, eeuwig, eeuwig.

Nou ja, tot de zon is opgebrand, dacht Angelo. Nog zo'n zes miljard jaar dus.

Dartele klarinetten, strijkers die in zwellende thermiek de mezzosopraan van Christa Ludwig opduwen naar de hoogste sferen, waar ze zweeft en zweeft, en het Al omvat.

Angelo soesde weg. In zijn hoofd begon een meisjesstem te spreken, in jeugdig parlando; hij zag er een wirwar van zwarte haren bij, een witte iPod. De Lorelei van Leipzig met de eitjes in de oren. Zijn Lorelei. Dat Mahlers lied eindigt in egoverlies, zei ze. '*Verlust des Ego*' – hij had er 'lust' in gehoord. De dood: een doorgang naar onsterfelijkheid, de samensmelting van individu en kosmos. Sterven: de geboorte van een absolute identiteit, want het Al en het Niets zijn slechts twee verschijningsvormen van hetzelfde, ene, onvernietigbare. '*Absolute Identität*' – ze had veel nadruk op elke syllabe gelegd, zodat het een liedje op zich werd. *Aab-zo-loe-te I-den-ti-teet.* Met zwaar aangeblazen t's, alsof de klanken koeling nodig hadden.

Hoe mooi was haar Duits, hoe stuntelig het zijne, omzichtig trippelend over de naamvallen, als van ijsschots naar ijsschots. Licht gestifte lippen, extra glanzend door de koffie van Café JoSeBa, die ze zuinig nippend opdronk.

Hij opende zijn ogen, nam de afstandsbediening. Voelde de plakkerige toetsen, de sedimenten van nachtenlang getokkel. Drukte op 4.

Von der Schönheit.

Violen, licht en uitgelaten als bij Vivaldi. Fluiten vol vogelgezang. Bloemenplukkende meisjes. Lotusbloemen, verzameld aan de vijveroever. '*Dem Ufferande*' – hoe dat ook nu weer klonk als 'offerande'. Na slechts een halve fles wijn. Zephyr, de westenwind, kruipt onder de zijden mouwen van de meisjes en bolt ze op '*mit Schmeichelkosen*'. Het mooiste woord ter wereld, vond hij. Angelo prevelde het voor zich uit, checkte zijn vertaling: strelend gevlei. Het geflikflooi van een windgod, een potelende Beaufort: bestond er nog een andere taal die daarvoor de klanken in huis had? Uitgerekend het Duits had het klaargespeeld – hetzelfde idioom waarmee miljoenen de crematoria in waren geblaft.

Donderende pauken, tetterende hoornen. Ruiters komen aangestormd, jong, dampend van testosteron; ze jagen de oever langs, vertrappelen de bloemen, de meisjes gillen, zoals alleen meisjes dat kunnen. Maar één onder hen, het mooiste, kijkt met ogen vol heimwee de drieste bende na, haar verlangende blik gericht op de berijder van het vurigste paard, met de hoogste hinnik, de snelste hoeven, de weelderigste manen.

Een Schopenhauer-blik.

Slotakkoord van de fluiten. Pianissimo.

'*Kann ich dich küssen?*'

Had hij dat toen werkelijk gezegd? Angelo herinnerde zich de aanblik van lippen, vol in het vlees, maar geen aanraking. Hoewel die lippen dichtbij waren geweest, zodat zien ook een beetje voelen was.

Hij dronk aan de fles, voelde wijn in zijn hals sijpelen. Zijn vierkante duim zocht de 5, klaar om te drukken. Hij zette zich schrap voor de tenor, de wilde Zuipschuit die, ervan overtuigd dat alles een illusie is, zich liever de stuipen drinkt dan te jubelen over de aanbrekende lente. Aan mijn lijf geen polonaise. Maar Angelo drukte niet. Te moe opeens. Gelaten ook, opgelucht. Het was voorbij. *Gott sei Dank.* Stel dat Thaïs zich ontvankelijk had getoond. Wat dan? Hoe had hij zijn leven moeten organiseren? Ze was vast niet het type voor losbandigheid. Ze zou engagement hebben geëist, ernst. Hoe had hij dat moeten opbrengen? Met zijn delicate hormonen? Zijn cv van kassabediende? Nee, hij mocht zich gelukkig prijzen. Dankbaar zijn dat de droom een droom bleef. Zonder al te grote gezichtsschade. Voor littekens was hij te jong.

Hij drukte op OFF.

Op de cd-hoes zag hij oosters bloesemende takken, gevat in een tornado. Zijn Lorelei: hoe het geen toeval kon zijn dat Mahler stierf vóór dit grootse werk over vergankelijkheid in première ging, zei ze. Dat Mahler de aarde verliet zonder zijn lied over die aarde te hebben gehoord. Als wou hij zijn boodschap illustreren met zijn eigen dood.

'*Kein Zufall.*'

Angelo had geknikt, en zich dan opeens gerealiseerd dat hij haar naam nog niet kende.

'*Wie heisst du? Das hast du noch nicht gesagt.*'

Zijn Duits werd beter. Ze had geglimlacht. Geantwoord dat dit niet hoefde. Namen waren berekend op eeuwigheid, op meegaan. Te duurzaam, te ecologisch. Namen waren overlevers. Terwijl zij allebei wisten dat ze straks uit elkaars leven zouden verdwijnen. Dus noem me maar... '*das Mahler Mädchen*', zei ze, en ik noem jou... '*den Pilger aus Belgien*'.

Hij wist niet wat een Pilger was. Ze verklaarde: een bezoeker van heilige plaatsen. Leipzig, schrijn van '*Sankt Johann Sebastian*'. Patroon der begrafenisondernemers.

Ze lachte. En het was toen dat hij het vroeg: '*Kann ich dich küssen?*'

Hij wist het weer zeker: hij had de vraag gesteld. Ook haar reactie kwam naar boven. Haar hand, kortstondig op zijn voorarm. Haar kalme stem.

'Ach, mein lieber Pilger. Das tun wir besser nicht.'

Zoveel jaren later bewonderde hij haar nog altijd, kuis op haar eenzame rots.

De lege fles was het eerste wat hij zag.

Zijn beltoon ging van hard naar harder. Hij voelde een erectie. Hij kwam overeind, wreef zijn ogen uit, nam op.

'Angelo, waar ben je?'

Tonia. Hij keek op zijn horloge. Halftwee.

'Onderweg,' zei hij.

Spraakspieren als in Thaïs' stoel. Dadelijk het besef: 'onderweg' betekent straatlawaai. Moest hij opstaan en de kamer rond stappen, haastige voeten suggereren?

'Ik begon me zorgen te maken,' zei Tonia.

Auf Deutsch, bitte, auf Deutsch.

De drankjes waren wat uitgelopen, zei hij. Je kent dat wel: vrienden die je lang niet hebt gezien.

Natuurlijk, zei ze.

Zou ze het erg vinden als hij in de Van Breestraat bleef slapen? Hij was in de buurt, en dan kon hij straks, voor zijn Bravo-shift begon, nog een en ander regelen. Misschien dat de aannemer kwam.

Hij schuifelde wat met zijn voeten.

Prima, zei ze. Maar morgen verwacht ik je thuis, hoor je?

Hem, de lieve pelgrim. Thuis – was haar loft 'thuis'?

Ik heb een verrassing, zei ze.

O ja?

Ja.

Wat?

Daarvoor zul je moeten komen, anders is het geen verrassing meer! Maar je krijgt een tip: het begint met een A. Slaap wel!

Angelo trok zijn kleren uit, kroop in bed.

Zijn erectie hield aan; hij overwoog handwerk, maar besloot het uit te stellen, om de volgende dag des te heviger te kunnen exploderen. Als een vulkaan.

De verre ruis van de stad, de geur van stof en kalk.

Wat begon er allemaal met een A? Angelo, angina, Alma, afrekenen, aftrekken, aardappelen, Aristoteles, Ariel-met-Actilift, Antipater van Cyrene, Adorno, Aquino, Arendt, aasgier, anus, alchemie, asbak, asperges, afgang.

De associatiestroom bracht geen enkel item aan de oppervlakte dat ook maar in de verste verte op een attentie of surprise zou kunnen wijzen. Hij betrapte zichzelf erop dat hij nieuwsgierig werd. Eigenlijk is ze toch wel lief, onze Tonia, dacht hij. Eigenlijk hou ik wel van haar. Eigenlijk verdien ik haar niet.

20

Eleonora lag wakker.

Ze had geprobeerd: ademhalingsoefeningen, stretchen, woordspelletjes. Hoofdsteden beginnend met de letters van haar naam: Edinburgh, Londen, E...?, Oslo, Nairobi, Ottawa, Rome, Amsterdam. Anagrammen van 'pothoer'. Orthope. Hoorpet. Hé, rot op.

Uiteindelijk kwam ze het bed uit. Overwoog een telefoontje naar San Francisco, waar – ze telde negen uur terug op haar vingers – de avond nu viel. Maar het idee sloeg niet aan, nog altijd niet, net als daarnet. Jonathan had ook zelf iets kunnen laten horen, bedacht ze, als antwoord op een aansluipende schuldreflex.

Ze nam een glas melk, roerde er honing doorheen.

Ze liet zich op de bank vallen, schakelde de tv in.

Journaallus. Duidingslus. Weerbericht. Reclame voor hometrainers. Cultuuragenda van de kust. Een meidengroep, kabouters. De kabouteranatomie had niets van de gezellige bolbuikjes uit de sprookjesboeken, maar alles van volwassen slungels met een strandbal onder hun jas.

Reconstructie van een vliegramp. SilkAir Flight 185, op weg van Jakarta naar Singapore, gecrasht in een rivier, 1997. Toen bestond zij al. Younes nog niet. Niet voor haar. Ze bleef kijken tot de oorzaak aan het licht kwam: zelfmoord van de piloot.

Indonesië: grootste moslimland.

Nederland 1. Mensen op zoek naar verloren verledens. Een man – zestig, vijfenzestig? Hij heeft een zoon, ergens. Verwekt, lang geleden, toen hij jong was en aan de drugs. Hij heeft de zoon nooit gezien. Nu is hij terminaal: hersentumor. En voor hij sterft, zou hij graag, één keer... De tv gaat voor hem op zoek. Vindt de zoon in Griekenland. Keert terug met zijn bericht: dat papa de boom in kan.

Eleonora dronk haar laatste melk, kroop terug in bed.

Ze dacht na over wat ze gezien had. Of er iets bruikbaars in zat voor haar cursus. Wat wou de vader? Zijn kind terugzien? Of op tv komen? Wat was er het eerst: het verlangen naar de ontmoeting of de prikkel van het programma, die het besef genereerde een passend verhaal te hebben voor het format? Welke rol speelde de naderende dood? Een katalysator voor loutering? Of aanstoker tot exhibitionisme?

Ze dacht aan de zoon. Viel zijn brute nee te verzoenen met de bekende reflex van adoptiekinderen, die koste wat het kost op zoek gaan naar hun biologische ouders? Was het normaal dat iemand zijn oorsprong afzwoer?

Het verleden was een vreemd land. Wie het bezocht, deed dat op eigen risico. Of kon beter een gids huren.

Dit had niet misstaan in haar *Psychologie*-artikel.

Onthouden, dacht ze, morgen opschrijven.

Ze dommelde in, verder mijmerend. De obsessie met afkomst, oorsprong, begin. Stambomen. De bronnen van de Nijl. De eerste seconde van de Big Bang. De laatste ervoor. Het onkenbare universum – het perspectief werkte hypnotiserend, claustrofoob, hield haar gedachten vast in concentrische cirkels. Ze dwaalde erin rond, tot ze instinctmatig voelde dat ze een grens naderde. Die van haar begripsvermogen. Daarachter verboden land. *Hic sunt dracones.* Wat was haar plaats in dit grote Waarom? Wie was ze, in welke dimensies bestond haar zelf? Wie bedoelde ze als ze 'ik' zei? En opeens deed een paniekgolf haar duizelen, alsof ze door de bodem van haar ziel trapte en in een eindeloze put tuimelde.

Ze kwam overeind, herschikte haar kussen.

Ze ging weer liggen.

De slaperigheid keerde terug. Geruis, beelden van de zee, treinsporen. Een incheckbalie. Het was druk in de vertrekhal. Younes kwam achter zijn tafel vandaan en stapte tussen de tassen op de transportband. Komisch balancerend, als een beer op zijn achterpoten, verdween hij uit het zicht. Een man in uniform wou dat ze haar koffers opende. Ze zaten vol vuile kleren. Haar moeder zei dat ze zo het vliegtuig niet in kon. Dat bracht haar aan het huilen.

21

De vierde én de vijfde cognac waren zonder probleem, en zonder gemor van bezorgde barkeepers, thuis verkrijgbaar.

Reinoud at, met een wijntje erbij. Liet de avond bezit nemen van het huis. Schoof een stoel voor de dromenvanger.

'Aanschouw,' zei hij.

Hij toonde Marianne het bierviltje, las voor wat hij op het toilet van Home Van Dijck op een stuk wc-papier had gekrabbeld, vlak na het afscheid van Carla. Want het telegram had hij niet meegekregen. Kan ik Willy niet aandoen, had Carla gezegd. Komt uit de nalatenschap van zijn moeder. Gevonden toen ze haar huis leegmaakten.

Het telegram waaruit een kersenboom groeide.

SATURDAY FEB 4 = MARY ANN = 7 AM.

'Verstuurd vanuit San Francisco, door oom Theofiel. 1939. Naar opa Louis, in Hansbeke. Wat maak jij daarvan?'

Marianne keek hem aan. Onder haar portret zat de print van een mail op de muur gespeld.

She would have been 65! Thinking of her, and you. Love, Suhaymah.

De hele wereld een bloemenkrans, toen hij dit bericht daarnet in zijn mail had gevonden.

'Ik denk dat het nogal elementair is,' zei hij. 'Pépé Louis wordt hier verwittigd van een geboorte. Mary Ann. Op zaterdag 4 februari, zeven uur 's ochtends. Wat zou het anders zijn? Hoe zei jij dat altijd? Als het lijkt op een eend, kwaakt als een eend, en waggelt als een eend, dan is het een eend? Wel, ik zeg je: hier loopt een eend.'

Hij tikte tegen het viltje.

'Ik zal zelfs meer zeggen: hier loopt een lelijk eendje. Je moeder wou je dat telegram allang tonen. Maar dat mocht niet, van je vader. Ja, onze Willy kon koppig zijn, zei ze.'

Het had geklonken alsof Willy, die intussen was gestopt met neuriën en zachtjes snurkte, er niet meer was. Alsof hij niet sliep, maar dood in zijn stoel lag. Alsof ze het over een andere Willy had, een vorige echtgenoot. Wat de facto ook wel klopte.

'En vanwaar die koppigheid? Ook dat zal ik je zeggen: Mary Ann was een kleindochter van pépé Louis. Het ouderlijke potje dat Willy liever gedekt hield.'

In de auto, onderweg naar Adriaan, had Reinoud het verhaal samengesteld. Surfend op de adrenaline van de ontdekking. Oorlog, jonge soldaat deserteert. Herfst 1914. Komt in Amerika terecht, voor zes lange jaren. In de fleur van zijn leven, libido op overschot. Thuis wacht zijn verloofde. Maar hij leert iemand kennen, daar in Californië. De gang van het leven: er komt een kind van – 1917, 1918? In Europa zwijgen de wapens, het heimwee knaagt. Louis keert terug, neemt de draad van zijn vroegere leven weer op. Voor het kind wordt gezorgd.

'Laten we zeggen: een breeddenkende Amerikaan, een quaker of zo, die de baby erkent. En Louis? Die heeft nu zijn Vlaamse gezin. Maar ook een geweten. 's Nachts piekert hij over zijn nakomeling aan de andere kant van de wereld. Hoe hij/zij opgroeit, of hij/zij gezond is. Goede rapporten krijgt op school.'

Mariannes blik werd stoïcijns: Leer mij de mannen kennen, zei ze. Ze leek over hem heen te staren, naar iets. Reinoud draaide zich om: de uitnodiging voor de vernissage in Aalst lag nog altijd op zijn bureau. Hij kwam overeind, nam ze op, bekeek de Tower Bridge: poppenkastversie van de Golden Gate.

'Heeft hij alles bekend aan zijn vrouw? Aan Emma, je oma Emma, van wie je nooit iets te weten bent gekomen? Gesloten als een oester, weet je nog? Intussen is Willy geboren. Verbiedt Emma Louis verder contact met San Francisco? Of heeft Louis gezwegen? Heeft hij dat stuk uit zijn verleden geknipt? Na het eerst te hebben opgebiecht aan de pastoor van Hansbeke, zoals het past in *la Flandre profonde*? Die hem vergiffenis heeft geschonken? Gezegd dat God alles begrijpt?'

Reinoud scheurde de uitnodiging in stukken.

'Maar er is oom Theofiel, de kersenkweker. Als het gepieker te erg wordt, kan Louis hem schrijven, desnoods in het geheim. Of Theofiel laat zelf van zich horen. Brieven die Louis nadien verscheurt, uit respect voor Emma. En het leven gaat verder, Willy krijgt een broer, een zus. In Duitsland kleuren de hemden bruiner en bruiner, Louis z'n longen kleuren roder en roder. Af en toe spuwt hij bloed, vlekken in zijn zakdoek als van kersensap, hij weet dat zijn einde nadert. En dan stuurt Theofiel dat telegram: er is een kindeke geboren, in de Golden State. Mary Ann. Een derde generatie is opgestart. En Louis plant die boom. Voor haar, zijn kleindochter. En hij sterft.'

Marianne bleef onbewogen. Ze was nooit vatbaar geweest voor romantiek. Als hoofdredactrice stond ze bekend om haar aversie van emo-stukken. Vragen als 'Wat ging er door je heen?' vlogen er in haar revisies onverbiddelijk uit.

Reinoud keek haar aan.

'Mary Ann,' zei hij.

Een liedjesflard kwam aanzetten, van jaren ver, de tijd der bloemendagen, na de klierkoorts. '*Marian, tell me you still care for me... Marian, remember how good those days used to be...*' Een draak van een song, maar hij had er eindeloos op geslowd tijdens scholierenfuiven. T-dansants heetten die toen – alsof de rokerige krochten en kelders waar zwetende pubers hun eerste speeksel mengden en zich al shakend en twistend bevrijdden van ingebeelde jukken, nog iets te maken hadden met de burgersalons uit de belle époque, waar officieren na theetijd blozende aristocratendochters ten dans vroegen. Hij kende Marianne toen nog niet, nog lang niet. (Of was ze er wel al – een schaduw in de grot?) Hoe had ook hij zich als een wolf door de massa's bewogen, op zoek naar gewillige slachtoffers. Borsten en dijen getest. Harten gebroken. Zijn eigen hart voelen breken wanneer een aanbedene dertig centimeter verder op de dansvloer haar mond opende voor de giftige bek van een pad uit de Wiskunde.

Cet âge est sans pitié.

'Marian, or don't you agree?'

Hij drong het liedje uit zijn hoofd, dacht aan hun eerste kennismaking.

'Weet je nog hoe je van me walgde, aanvankelijk? Ik, de flierefluiter, de dekstier van de tennisclub?'

Haar racket dat het begaf tijdens het vrouwendubbel. Hij die het zijne aanbood, met een 'Al mijn snaren zijn gespannen'.

Hij huiverde bij de herinnering, gooide de snippers van de invitatie in de papiermand.

Hij had zich binnenstebuiten moeten keren, zichzelf opnieuw moeten uitvinden. Zijn erotische palmares en waardesysteem bij het afval zetten. Hij had gemord en tegengesparteld, maar was geplooid. Jaloers op haar morele status, vastbesloten zich naar dezelfde hoogte van zuiverheid te hijsen. Hij had zijn verleden afgesloten en de sleutel gedumpt. En ze had aanvaard. Hij was de hare geworden, dertig jaar lang. Slechts één keer niet. Een minimaal schuivertje. Hoewel... Ook een tong was een fallus, een penissurrogaat, door de Fransen uitgevonden om te kunnen neuken in het openbaar.

Een snipper kleefde nog aan zijn palm, hij schoot hem weg met duim en middelvinger.

Hij ging naar de bibliotheekkast, trok een fotoboek uit de rij. *Betrapt.* 'Intimistische shots' door een 'aanstormend talent in de Vlaamse fotografie'. Hij bladerde, tot bij een grofkorrelig zwart-wit van een jonge vrouw. Ze droeg een witte blouse en een smalle rok. Met opgetrokken benen zat ze te lezen op een chaise longue. Het boek in haar hand was het Oude Testament. Haar licht geopende, in de rok geknelde knieën vormden een fuik waardoor de blik van de toeschouwer naar binnen gleed als een paling. Daar, in de diepte van haar kruis, net zichtbaar genoeg om de twijfel tussen textiel en vlees weg te nemen, schemerde een vagina. Bette, 'betrapt' door het aanstormend talent van haar eigen man, Koenraad.

Obsceen, had Marianne gezegd op de vernissage. Zover zou niemand me ooit krijgen.

Die foto was de eerste stap geweest naar het jaagpad bij de Schelde. Obsceen? Het was niet bij hem opgekomen. Hij kon wel wat hebben. Hij herinnerde zich maar één foto die hij ooit obsceen had gevonden. In de *Standaard* – hoe lang geleden? Leefde Marianne nog? Een stuk over kunst en ethiek. Soms lichtte het beeld weer op in zijn hoofd, vaak zonder aanleiding. Telkens resulterend in de schok die hem destijds ook had getroffen. De foto van een ongeval. Een jonge vrouw ligt voorover op een omgeknakte lantaarnpaal, ergens in een Amerikaanse stad. Op de achtergrond het klassieke zootje van nieuwsgierigen en hulpdiensten. In haar achterwerk de neus van de auto die haar, samen met de paal, heeft geramd. Osmose van aanrijding en aanranding. Besprongen door technologie. Een mooie vrouw. Ze kijkt voor zich uit, met starre blik, haar armen om de paal geklemd, als in een omhelzing. Of als een amazone tijdens een wilde galop. Ze is dood – dat lees je in het marmeren gezicht, de ogen, waarin de laatste vonk is uitgegaan. Geen spoor van bloed, geen scheurtje in de kleren, elegant krullenwerk om het hoofd. Eros en Thanatos. Beeldhouwer Dood.

Reinoud zette het boek terug.

'Je pa had gedronken toen hij ons over het telegram vertelde, weet je nog? En later wou hij er niets meer over kwijt. Volgens mij heeft hij het altijd geweten. Van moeder Emma. Nooit een fan van die boom geweest, oma Emma. Maar niet vanwege de dikke kruin, niet vanwege de gemiste ochtendzon. Zij heeft dat telegram aan haar oudste getoond. Op zo'n crisismoment, als een gezin uiteenvalt in ruzie, coalities, desnoods tussen levenden en doden. Willy die opgroeit, kuren krijgt, zijn vaders gedachtenis in stelling brengt en opeens dat telegram voor z'n neus ziet wapperen: "Voilà, dát was je vader!"'

De Martinusklok klepte.

'Een hele oorlog gewacht, gebeden, kaarsen doen branden. En intussen hoorns opgezet door de arme banneling, ginder ver van zijn land. Nadien gal wegslikken. Bij elke kers die je eet.'

Reinoud nam de fles, ging weer zitten, vulde zijn glas bij.

'Emma was een heilige,' zei hij. 'Bidden wij voor haar.'

Hij hief de wijn met beide handen naar de zoldering, prevelend als in devotie, dronk.

Wat later viel hij in slaap, hoofd op zijn bureau.

Hij droomde van een weids meer, waarin honderden lelies dreven. Hij stond op de oever, genietend van het schouwspel, de wind. Een man kwam langs met een hond en een gestopte sok in de hand, vroeg de weg naar Brussel. Reinoud wees: over de heuvels en ver weg. Dank u, zei de man. Hij gaf de leiband aan Reinoud en stapte het water in. De hond rukte, Reinoud moest zich schrap zetten, pijn straalde door zijn rug.

Hij werd wakker.

Drie uur – kramp tot in zijn schouders.

Steunend kwam hij overeind, met branderige ogen. Hij greep zijn glas en bord, stapte naar de keuken. Bij de muur bleef hij staan, herlas Suhaymahs mail. Bekeek de dromenvanger, een oud cadeautje van haar, verstuurd tijdens haar eerste dienstreis overzee vanuit een reservaat in Canada. Met een kaartje erbij dat Marianne inlijstte en op haar bureau zette. '*To help you catch your dreams, now that I have caught mine. Eternal thanks and all my love.*' Getekend: '*An Indian among the Indians*', gevolgd door een smiley. Het kadertje was verloren gegaan tijdens een lenteschoonmaak, tot wanhoop van Marianne, maar hij kende het nog uit het hoofd. Hij bracht zijn ogen dichter bij de vanger, bekeek het delicate bouwsel van kraaltjes, veertjes, hoepeltjes, touwtjes, de sierlijke symmetrie in de netfiguren. Het scheen hem toe dat, indien er toestellen bestonden om dromen te vangen, ze er inderdaad alleen maar zo konden uitzien. De geometrie van oeroude zielspatronen, onvatbaar maar evident, als graancirkels.

Hij liet zijn blik zakken tot bij Marianne.

'Wat zou het anders moeten zijn?' zei hij. 'Een ander geheim, een code? Waren Theofiel en Louis smokkelaars? Schakels in een spionagenetwerk, aan de vooravond van Oorlog Twee? Was Mary Ann de naam van een schip, om zeven uur binnengelopen in San Francisco uit Antwerpen? Met iets heel belangrijks aan boord? Hadden de Chinese triades die ochtend van 4 februari een Mary Ann omgelegd in een steegje van China Town? Kan ook allemaal, natuurlijk. Alles kan, in de beste der mogelijke werelden. En dan zou jij je naam níét te danken hebben aan een romantische vader, in een nostalgische bui. Dan bestond je Amerikaanse alter ego niet. Maar ik verkies de eend.'

Hij ging nog even naar buiten, plaste tegen de garagemuur.

Daarna tilde hij zijn smartphone naar de hemel. Liet de app zoeken naar dubbelsterren. Belandde in het beeld van

Virgo. Hij tikte Spica aan, de helderste van de hoop. Eén flikkerend vlekje voor het menselijk oog, maar in gindse werkelijkheid, 260 lichtjaar verwijderd, een netjes gescheiden koppel: Spica A en B, elk in zijn eigen, trouwe baan om het gedeelde zwaartepunt.

Zoals Marianne en Mary Ann. Cirkelend rond hetzelfde kleindochterschap.

22

Er lag een pakje op tafel in helderwit papier, met een rode strik eromheen. Tonia keek glunderend toe terwijl Angelo het openscheurde. Een doosje, en daarin een envelop met zijn naam. In de envelop een kaartje met een pinguïn op de voor- en een gedicht op de achterkant. Een handgeschreven kwatrijn waarin de liefde groot was als de oceaan, 'groot' rijmde op 'boot', en 'pizza' op 'Alaska'.

De A van Alaska.

Tonia had de cruise van Bounty Travels geboekt. Omdat ze straks twee jaar samen waren, en omdat – zoals ze verrast had geconstateerd toen ze toevallig de etalage bekeek en terug moest denken aan zijn *Fernweh* (hij hoorde verbaasd dat ze dit woord had opgeslagen) – de boot vertrok op de verjaardag van hun eerste ontmoeting.

'Weet je nog?'

Nee, eerlijk gezegd.

Komaan: 15 juni, straks twee jaar geleden. 'Onze' Tom was er. Was, voor hij zijn vrouw ging oppikken voor het theater, even binnengewipt bij mama; had de hele dag nog niets gegeten, en zij had een pizza laten komen. Die had hij, Angelo, stipt na de afgesproken twintig minuten bezorgd. Zijn eerste bestelling. Zijn eerste verschijning in haar leven, waarvan ze meteen had gevoeld: hier gebeurt iets. Hij wist zelf hoe het verder was verlopen. Hoe Tonia in de weken die volgden het hele assortiment had afgewerkt, verslaafd was geraakt aan zijn calabrese, maar vooral aan hem: de pizzabrenger, de prins op de motorfiets, die steeds langer bleef hangen, zitten, liggen, steeds meer smoezen moest verzinnen voor zijn laattijdige terugkeer in Ristorante Agrippa, tot baas Giuliano het beu werd en hem ontsloeg.

Die dag dus. Die wilde ze vieren.

'Maar...' zei Angelo.

Tonia hief haar hand op. Luister, zei ze. Wat hij daar vasthield, was een optie, geldig voor twee dagen. De cruise was bijna volzet. Het was al uitzonderlijk, volgens Bounty Travels, dat de aanbieding nog liep – technische problemen in de VS hadden voor vertraging gezorgd. Dus snel beslissen was de boodschap. Ze wist dat hij z'n job had. Hij wist wat zij van die job vond. Dat ze al lang wenste dat hij die Bravo-kassa dichtklapte, zijn 'flat' in de Van Breestraat verkocht en bij haar introk. Dit – ze tikte tegen de kaart – was een eerste stap. Naar een nieuw leven. Bij haar. In alle vrijheid. Daar mocht hij gerust op zijn. Ze wilde geen toyboy, geen slaaf, zoals zij zelf er een was geweest bij Willem. (Verwondering, over haar bekendheid met het begrip 'toyboy'. De bedenking dat het weleens een correcte omschrijving zou kunnen zijn van zijn statuut. Wat hij zowel prikkelend als gênant vond.) Ze wilde alleen het beste voor hem. Omdat ze hem graag zag. Bij haar kon hij in alle rust een nieuw parcours uitstippelen. Een nieuwe marsrichting geven aan zijn leven. Solliciteren naar een positie die recht deed aan wie hij was. Met al zijn kennis, al zijn talenten. Ach, Angelo. Jouw intelligentie. Desnoods studeer je verder. Ze zou helpen. Met alles.

Geld. (Ze sprak het uit zoals ze 'een lift naar het station' zou uitspreken, of 'de afwas'.) Als hij maar werd wie hij kon zijn. Als hij maar niet zijn tijd bleef verdoen tussen keukenrollen, cornflakes en charcuterie.

Een ambulance, jankend op weg naar het westen. Late voorjaarszon in het brede loftraam, waarachter de stad op haar rug lag, wachtend tot de avond viel, al enkele lichtjes had ontstoken en meeuwen liet overwaaien richting rivier.

Angelo hoorde even de stem van 'onze' Tom, Tonia's oudste. Steeds hogere pief intussen bij een bank die de crisis goed had doorstaan, te oordelen naar Toms wagenpark dat recentelijk was uitgebreid met een Porsche Panamera. Zijn woorden dateerden van Nieuwjaar en vormden, voor zover Angelo het zich kon herinneren, deel van het tweede gesprek dat ze sedert zijn intrede in Tonia's leven hadden gevoerd. De boodschap kwam erop neer dat hij, Tom, het Angelo nogal kwalijk zou nemen, mocht blijken dat er misbruik werd gemaakt van zijn moeders emoties. Een mogelijkheid die hij, Tom, niet uitsloot, gezien Angelo's maatschappelijke positie, hoewel hij, Tom, vrijgevochten genoeg was om zijn moeder 'haar eigen leven' te kunnen gunnen, indien hij, Angelo, begreep wat hij bedoelde.

Ja, had Angelo gezegd, terwijl hij toekeek hoe Tom een cracker van de schaal nam, die besmeerde met pesto, waarbij de cracker opeens in stukken vloog, zodat Tom handen tekortkwam om de rondvliegende fragmenten op te vangen voor ze op het witte tapijt landden, of in de schoot van zijn zuster Lulu, die naast hem op de bank werkeloos zat te glimlachen bij de pogingen van eenjarige Justin om in de kerstboom te klimmen.

'Begrijp je?' vroeg Tonia.

'Ja,' zei Angelo.

Hij staarde naar de kaart in zijn handen en voelde zich opeens klein worden. Verschrompelen tegenover de dimensies waarmee hij werd geconfronteerd. De grootte van Alaska. De afstand erheen. De omvang van de stap die Tonia hem vroeg te zetten. De omvang van haar betrokkenheid. Haar loyauteit, haar bereidheid om ter wille van hem familiale hoon en wrevel te trotseren. Haar moed om tegen de rest van de wereld in zijn kant te kiezen, zonder compromis. Ze zou zijn moeder kunnen zijn, Tom en Lulu – God verhoede – zijn broer en zus. Een heldhaftige moeder, die niet, nooit ofte nimmer in de steek liet. Gesneden uit een ander soort heldendom dan het heldendom waarvan hij zichzelf weleens de belichaming achtte, wanneer hij zich koesterde in zijn onthechtheid, zijn los-zijn-van, zijn zwerverschap. Zijn solitaire afwijzing, zijn niet-willen-weten. (Marloes, indertijd: 'Waar zijn je ouders nu?' – Hij: 'Geen idee. Ergens.' – 'Waar dan?' – 'Weet ik veel. *Somewhere, over the rainbow*. Buiten de grot.') Zijn trots daarop, zijn bewuste ontwijking van elk signaal uit die richting, dat hem weleens bereikte via oom Neel. Zoals iemand zijn kraag opzet bij het minste vlaagje noordenwind.

Tonia kwam dichterbij.

'En? Gaan we?' vroeg ze.

Ze greep zijn hand.

'Naar Alaska? We boeken?'

Hij kon de tranen niet bedwingen.

Ja, knikte hij.

Een tweede sirene, in hetzelfde spoor als de eerste.

'Ik zie je graag,' zei ze.
'Ik ook.'

Hij omhelsde haar, hard, de heuvels van haar boezem in zijn borst priemend. Meteen de grote wens zijn gezicht erin te begraven, zijn hoofd ondersteund door haar arm, het zachte vlees te bevrijden uit zijn inkapseling en als een overdadig warm maal in zijn mond te laten vallen.

Ik zie haar echt graag, dacht hij. Dat pinguïns niet voorkomen aan de Noordpool, zal ik haar niet zeggen. Nu nog niet. Niets mag ik doen wat haar maar enigszins zou kunnen beschadigen.

23

Eind juni zou hij terugkeren.

16 mei, zei de kop van haar krant.

Haar hoofd ging aan het rekenen, buiten haar wil om, zoals een taximeter aan het tellen slaat wanneer de rit begint. Nog zes weken. Tweeënveertig dagen. Tweeënveertig maal vierentwintig was... veel uren.

Ze zat helemaal alleen in de docentenkamer, met een koffie en een stagerapport waarop een rode stift klaarlag. Maar ze had nog geen zin.

Op de frontpagina van de krant, bijna het hele blad bedekkend, de kersverse president van Frankrijk. In zwartwit, grove korrel, zodat de foto iets klassieks had, iets gedegens, iets wat de tand des tijds had doorstaan en nog zou doorstaan. Hij stond in profiel, staarde over de linkerrand van het blad de wereld in, naar een panorama dat, afgaande op zijn mimiek, ontzagwekkend moest zijn. Iets van historische dimensie. De herrezen Bastille.

De Marseillaise sloeg aan in haar hoofd, het enige nationale lied dat ze al sedert haar kinderjaren kende, en voorgoed, vreesde ze. De begintonen had ze te vaak gehoord, telkens wanneer 'All You Need Is Love' werd opgelegd.

'All my loving.'

'*Love is all you need.*'

Ze probeerde of die omkering ook lukte bij 'All my loving'. 'Loving My All.' Het kwam haar voor dat ook dit betekenis had, maar een totaal andere. Veel particulierder, veel meer van toepassing op haar en Jonathan, hun symbiose.

Zes weken nog. Eerst moest de lente ophouden, de zomer aanbreken.

Ze sloeg de pagina om. Nog een foto van de president, hand in hand met partner. Knappe vrouw. Al tweemaal gescheiden, las ze, en dat verleden honorerend door de naam van haar tweede man te blijven dragen. Valérie Trierweiler – de Frans-Duitse klank riep iets op van betwiste grenzen, van aloude conflicten, charges van lansiers met bevederde pinhelmen, bloed en tranen.

Net voor Jonathans vertrek had ze de Marseillaise nog gehoord, toen de tv *Casablanca* heruitzond. De fameuze veldslag der hymnes, onder de wiekende ventilator in Ricks Bar: '*Allons enfants de la patrie*' inhakkend op '*Lieb' Vaterland, magst ruhig sein*'. Ze lag half tegen Jonathan aan, en tijdens de scène had ze zijn adem voelen versnellen, en zich afgevraagd voor wie hij aan het supporteren was. Had ook bij zichzelf, tot haar verwondering, opwinding vastgesteld, ontroering zelfs, bij de gedateerde pathetiek in gezichten en stemmen van de acteurs. Zich afgevraagd of ook zij, puur door woorden en klanken, tot zulke hevige gevoelens kon worden opgezweept dat ze vergat de speelbal te zijn van cynische strategen die ver van het strijdgewoel over hun kaarten gebogen stonden.

Opgenomen in 1942, wist Jonathan.

In staat zeventig jaar later emoties in haar te wekken die ze beschouwde als uitgestorven, in elk geval in West-

Europa. Met hoeveel verledens werd je geconfronteerd als je een oude film over het verleden bekeek? In welk metaverleden kwam je terecht als je later aan dat moment van bekijken terugdacht, zoals zij nu? Wat voor soort herinneringen waren dat? Met welke manipulaties doorschoten?

Ze dronk van haar koffie. Huguette, vakgroepvoorzitster a.i., kwam binnen. Eleonora vouwde de krant dicht, trok het stagerapport naar zich toe, trok de dop van haar viltstift. Huguette groette, liet enkele mappen op tafel glijden, ging naar de koffiemachine. Door het gegorgel heen vroeg ze of Eleonora naar de vergadering kwam. Ja, zei Eleonora, net daarom zit ik hier nog. Goed, zei Huguette, dan zullen er misschien voldoende deelnemers zijn om een quotum te hebben.

Het was niet de eerste keer dat Huguette quotum en quorum door elkaar haalde. Eleonora twijfelde, net als de vorige keren, of ze zou corrigeren, en aarzelde opnieuw te lang om het te kunnen doen met de gewenste terloopsheid.

'Ik wil een stemming over het Berenice-dossier,' zei Huguette. 'We kunnen dit niet langer laten aanslepen. Studenten beginnen te klagen.'

Het Berenice-dossier betrof de weigering van Berenice, docente medisch recht, om mee te draaien in een experiment studeren-op-afstand, wat haar veel bijkomend werk opleverde en grote druk zette op haar zo al beperkte IT-vaardigheden. Als studenten niet naar de les wilden komen, oké, sprak ze, maar ik blijf het spijbelen noemen.

'Het grapje heeft lang genoeg geduurd,' zei Huguette.

Eleonora hield niet van stemmen. Ze geloofde niet dat

dingen konden worden opgelost met een simpel ja of nee. Met een zwart of wit. Ze geloofde in grijs, in de schemer van overgangszones, waarin de te volgen weg zich nooit presenteerde als een scherp afgelijnd traject, maar als de schaduw van de suggestie van een spoor waarvan men alleen kon hopen dat het ergens heen leidde. Er waren momenten, wanneer ze door het wetenschapskatern van haar krant bladerde, dat ze zich hierin gesteund voelde door de bevindingen van de moderne natuurkunde – niet omdat ze één letter kwantummechanica begreep, maar wegens het parfum van speculatie dat er, dacht ze, omheen hing.

Huguette kwam tegenover haar zitten. Ze opende een map, zocht even, trok er een bundeltje uit.

'Hier,' zei ze, 'als je interessantere lectuur wilt.'

Eleonora keek: STUDENTENEVALUATIE. De titel van haar cursus. Nog maar eens. Elk jaar meer etalagedemocratie. Ze bladerde vluchtig door de enquête, zag dat het goed was. Hoge scores, in alle rubrieken. Inhoud: voldoende geactualiseerd. Voldoende integratie van digitale leermiddelen. Voldoende aanwending van praktijkgerichte cases. Onder *Verdere Opmerkingen* slechts twee bijdragen: een student had een zaag getekend, een andere had geschreven: 'Docente spreekt Hollands.' Eleonora zuchtte. Zover was het gekomen. Het was voldoende dat je je min of meer volgens de norm uitdrukte om voor kaaskop te worden uitgescholden.

Herinneringen aan Nijmegen, waar men haar Vlaams 'sappig' had gevonden.

Huguette vinkte namen aan op een personeelslijst.

'Die is ziek,' mompelde ze.

Gelukzak, dacht Eleonora.

'Valt mee, hè?' zei Huguette, knikkend naar Eleonora's enquête.

'Ja.'

'Berenice zal minder blij zijn.'

Huguette legde een hand op de map, waarin blijkbaar meer publieksvonnissen zaten. Dat hoor je niet te zeggen, dacht Eleonora. Vertrouwelijke info hoor jij als voorzitster voor jezelf te houden. Deed Jonathan altijd.

'Ik hoop echt dat we straks knopen doorhakken,' zei Huguette. 'Met Jonathan uit de buurt moet dat lukken.'

Ze knipoogde.

'Grapje. Maar hij was altijd zo begripvol voor Berenice. Niemand nam het hem kwalijk, natuurlijk. Zijn goede hart, wellicht.'

Eleonora voelde haar wangen in brand vliegen.

'Maar zo run je geen vakgroep. Toegegeven, Berenice heeft een discours waar weinigen tegenop kunnen. Zeker als de sherry meepraat.'

In de gang naderden snelle voetstappen.

'Dat probleem van haar wil ik zelfs respecteren,' zei Huguette. 'Maar ze moet leren inzien dat haar charmes een houdbaarheidsdatum hebben. In elk geval bij mij.'

Ze nam lawaaierig, bijna slurpend, een slok koffie. De deur vloog open en Noël, docent Frans, beende het lokaal door met fladderende jaspanden. Hij schoof zijn postvakje open, zag dat er niets in lag, klapte het weer dicht. Huguette trok haar hoofd in haar nek.

'Sorry,' zei Noël. 'Trein vertraagd, alweer. Godjezuschristus, in dit land reis je sneller met een rolstoel dan met de TGV. Er staan al zes studenten te wachten.'

‘Kom je naar de vergadering?’ vroeg Huguette.

‘Ben je gek? Het halve eerste jaar heeft mondeling.’

Noël verdween zoals hij gekomen was, Eleonora dacht lucht te zien wervelen.

Huguette streepte zijn naam door.

‘Nog zo’n paar, en daar gaat mijn quotum,’ zei ze.

‘Quorum,’ zei Eleonora. ‘Het is quorum – niet quotum.’

Hoe de wereld werkelijk anders was. Ze wist dat die ervaring bestond: trauma’s die ervoor zorgden dat de aarde opeens een andere vorm had aangenomen, andere kleuren vertoonde. Dat de lucht die je inademde niet meer dezelfde was. Er bestonden liedjes over: hoe na een fataal verlies de sterren niet meer fonkelden, planeten uit hun koers leken gemept, het gezang van vogels tot een prehistorisch geluid was vervormd.

De slaappil werkte niet.

Eleonora probeerde zichzelf wijs te maken dat ze overdreef. Maar dat ging niet: ze voelde zich werkelijk als om te sterven. Ze wou werkelijk dood. Of op z’n minst inslapen en wakker worden in een ander universum. Opgekruld rond een snaar. De fase van mijn-ogen-hebben-zich-vergist was ze al voorbij. Daarvoor zag ze, ook nu nog, te helder de schaduw achter Jonathan op de muur. Een figuur die zich even oprichtte, zich uitrekte, naar iets greep. Een arm, een hoofd, heel duidelijk. Net nadat Jonathan was klaargekomen. Baby, baby, baby. Zijn gezicht: alsof hij werkelijk om een mama smeekte. Om haar – zij, die met de Swan Jumper de dingen had gedaan waarvan ze dacht dat hij ze wou zien, geluiden had geproduceerd waarvan ze zelf niet goed had geweten of ze het gevolg waren van de (niet te ontkennen) draaikolk in haar onderlijf dan wel van haar verlangen hem tegemoet te komen, tegemoet te springen, te vliegen op de vleugels van die zoemende zwaan, helemaal naar de overkant van de Atlantische plas, en dan nog eens – hink, stap – het continent over, meren, prairies, Rotsgebergte, om te landen in San Francisco, waar hij het gele T-shirt tot boven zijn harige borsten had getrokken om zichzelf vrij spel te geven. De groene westernletters tot onleesbaarheid in elkaar gefrommeld. Maar ze wist wat er stond: USF. *Students choose* USF *to start changing the world here and now.* De slogan was haar door het hoofd geflitst. Samen met andere flarden van de website: *Make the world a better place, start at the University of San Francisco.* Onze missie: een menselijker en rechtvaardiger wereld, gebaseerd op de oude waarden der Jezuïeten.

Baby, baby, baby. Ach, haar hulpeloze, sidderende beer. Het had haar zo ontroerd, haar een verschrikkelijke drang bezorgd hem te troosten. Huil maar niet, jongen, schaam je niet, ik weet wat je nu doormaakt, kom maar bij mama, kom, ik zal je schoonvegen, je buikje wassen, de kreukels uit je truitje strijken. En toen was die schaduw achter hem in beweging gekomen. En besefte ze: er zit iemand bij hem in de kamer. Jonathan had iemand uitgenodigd om toe te zien bij hun cybernummer. Het kon niet anders, er was geen andere verklaring voor dat zwarte silhouet dat zich opeens verhief op de witte muur, als de draak in een Chinees schaduwspel. Ze was overeind gevlogen, de keuken in. Was met bonzend hart blijven staan, zich vastklemmend aan het fornuis. De Swan Jumper zat nog trillend in haar hand en ze had hem met een zwaai in de hoek gekwakt, waar hij tegen de vloer kletterde en stilviel.

Hoe lang ze daar gestaan had, wist ze niet meer.

Ze hoorde haar telefoon overgaan, verschillende keren, maar bewoog niet.

Ten slotte kreeg ze het koud. Sloop op haar knieën de woonkamer in, als een dief in eigen huis, zich zo plat mogelijk houdend voor de webcam. Amerika was stil. Ze schoof onder haar bureau, wrong de stekker van de pc uit het stopcontact. Stond op, trok haar slipje aan, gooide een sweater over haar naakte schouders.

De sofa.

Ze kreeg het nog kouder.

Ze kleedde zich helemaal aan.

De telefoon ging, ze nam op. Jonathan. Jezus, wat was er gebeurd? Hij stierf van ongerustheid. Waarom was ze zo plots weggevlucht? Waar was ze geweest? Waarom had ze zijn telefoontjes niet beantwoord?

Het was toen dat ze het opeens zag: dat de oude wereld verdwenen was. Een nieuwe was in de plaats gekomen en ze tuimelde naar binnen, als door een deur die uit het slot schoot terwijl ze ertegen leunde. Ze ademde diep, sprak. Met kalmte. Dat ze iets had gehoord op de gang. Problemen met vandalen de laatste tijd. Inbraak zelfs, bij de huurder onder haar. Dat het leek of er iemand aan de deur morrelde. Ze had gepanikeerd. Dat, dat, dat...

Hij had het allemaal geloofd. Bezorgdheid getoond, adviezen gegeven: niet aarzelen, hoor je, politie roepen.

Ze hadden afscheid genomen, met de belofte elkaar de volgende dag weer te bellen. Kusjes, kusjes. *Love you. Love you.* Slaap wel. Werk ze. Tot morgen. *Take care, kiddo.*

En nu lag ze in bed, wachtend op de verdoving van de pil.

Prees zichzelf gelukkig dat ze zich beheerst had. Stelde zich voor wat er had kúnnen gebeuren. Zag het als in een film, met dramatische strijkers op de achtergrond. Een hysterische vrouw die uitleg eist, onmiddellijk. Die zich door haar eigen gejank amper verstaanbaar kan maken. Zichzelf de tijd niet gunt om de woorden te vinden die hem, de schoft, geen ontsnapping toelaten. Hem de kans geeft zijn babbel te doen. Zijn retoriek op te starten, waar ze nooit doorheen raakt. Hem de kans geeft te ontkennen, te smoezen, te pleiten. Liefje toch, wat haal je je allemaal in dat blonde hoofdje van je? Een schaduw? Jezus, er viel iets om, de kat sprong tegen de varenplant, het gordijn waaide weg voor het open raam. Enig idee hoe strak de wind blaast aan de West Coast? Op zijn woord van eer – asjeblieft, wie dacht ze wel dat hij was?

Ze rilde.

Waar was ze mee bezig geweest?

Hoe blind was ze geweest?

Ze vlooide hun verleden uit op momenten waarop hij zichzelf misschien al had verraden. Waarop hij blijk had gegeven van perversiteit, exhibitionistische trekjes. In Frankrijk vorig jaar hadden ze naakt gezwommen, op zijn voorstel, in het licht van de volle maan boven Sainte-Maxime. Tot haar eigen vervoering. Idem voor de Gallo-Romeinse badkuur in de winterse bergen van Wallis, in (verplichte) staat van ontkleedheid tussen de andere hotelgasten. Ook hier: zijn initiatief, haar welbevinden.

Wie was die schaduw geweest? Met wie had hij dit cybertriootje opgezet? Een studente? Een collega? Waarom? In het beste geval ging het om een experiment. Had hij wat zout gewild bij hun (stilaan reguliere) sessies. Was slachtoffer geworden van zijn gedwongen, maandenlange celibaat, dat hem over zijn toeren deed gaan. Dit scenario liet haar nog altijd de centrale rol. De plek van Grote Geliefde, zij het in een dubieus standje. Dan kon die mysterieuze figuur zelfs een betaalde aanwezigheid zijn geweest, ingehuurd om zijn fantasie te realiseren. Wat de vernedering niet minder maakte, maar er toch de zalf van een context omheen smeerde.

Ze snoof toen ze inzag hoe ze dreigde af te glijden richting rationalisering. Toegaf aan het Stockholm-syndroom. San Francisco-syndroom.

Aan het slechtste geval weigerde ze te denken: dat zíj het zout was geweest. Dat Jonathan daarginds iets had opgestart wat haar totaal buitenspel zette en waarin haar enige plaats nog die was van kinky toevoegsel. Een nieuwe verhouding, relatie, affaire, liaison, romance, amourette. Nog meer woorden dienden zich aan, alle even scherp en kartelig, even geschikt om het onvoorstelbare te benoemen.

In de nieuwe wereld.

En opeens kwamen ze dan toch, de tranen.

Ik moet hem zien, dacht ze. Ik moet hem zien.

Ik kan niet spreken over een oceaan heen, tegen een flikkerend scherm.

Van de nacht naar de dag, of omgekeerd.

Ik moet hem zien, ruiken, als hij antwoorden geeft.

Ik moet hem zien, met mijn eigen ogen, in zijn territorium, zijn *better place*, waar de schaduwen tot leven komen.

Ik moet erheen, hem ontdigitaliseren.
Net voor ze insliep, was er nog een stem.
'Ik vermoord je!'
Younes, dacht ze. Arme Berber.

24

'Kijk,' zei de chef, 'als het gordelalarm in je auto afgaat, dan kun je twee dingen doen: je gordel omgespen of je radio harder zetten. Jij hebt blijkbaar gekozen voor het laatste.'

Angelo moest even nadenken voor hij begreep wat de chef bedoelde. Maar toen voelde hij waardering. Dit soort beeldspraak had hij nooit bij zijn baas vermoed. Vervolgens vroeg hij zich af of hij dit als tact dan wel als spot diende te interpreteren. Er waren nog momenten geweest dat de chef hem duidelijk had proberen te maken dat hij een uilskuiken was, maar dat was telkens gebeurd in ondubbelzinnige termen. En toen had hij elke keer ingestemd. Ja, chef, het klopt. Ik ben een idioot. Het was de snelste manier om van het gezeur af te komen. Nu aarzelde hij. Hij had net zijn ontslag aangeboden, dus stonden ze op voet van gelijkheid. De ene vrije burger tegenover de andere. Even wist Angelo, die al in oceaanstemming verkeerde, hoe de zwarte bevolking van Noord-Amerika zich moest hebben gevoeld op 18 december 1865, toen het Dertiende Amendement aan de grondwet werd toegevoegd. *Slavernij noch dwangarbeid zal bestaan binnen de VS.* Hij voelde al de koude bries van de Pacific om zijn voorhoofd, terwijl hij langs de westkust opstoomde richting Astoria.

'Op zee draag je geen gordels,' zei hij.

De chef fronste.

'En waar gaat de trip heen?'

'Alaska,' zei Angelo.

Astoria, Sitka, de Hubbard Glacier, Juneau, Ketchikan. De aanlegplaatsen zaten, na talloze blikken op de kaart, als een litanie in zijn hoofd.

'Naar Alaska?'

Het klonk absoluut niet als een vraag. Eerder als het soort vaststelling dat de chef gewoon was te maken. Zoals: Je hebt die kortingsbonnen weer niet laten aftekenen?

'Ja,' zei Angelo. 'Vertrek 15 juni, San Francisco. Eindbestemming Vancouver.'

De chef knikte.

'Angelo gaat naar Alaska,' zei hij.

Dat leek dan weer de titel van een jeugdboek.

'Job gevonden? In de Wall Mart van Anchorage?'

De naam viel heel spontaan, alsof de chef elke dag Alaskaanse steden opsomde. Weer moest Angelo zijn verrassing erkennen. En weer was hem niet duidelijk hoe hij dit diende op te vatten. Maar hij had geen zin zich beledigd te voelen. In zijn nieuwe wereld – de wereld die hij had betreden toen hij Tonia's voorstel aanvaardde – bestond dat gevoel niet meer. De knop hier-kun-je-Angelo-pijn-doen was uitgeschakeld. Voorgoed. In hem heerste, in al zijn werkelijke echtheid, onthechtheid.

'Anchorage is trouwens niet de hoofdstad,' zei Angelo. 'Hoewel de meeste mensen denken van wel.'

'Oh ja?'

'Ja. Maar dat is dus fout. De hoofdstad is Juneau.'

'Ik zal het onthouden,' beloofde de chef.

Mooi, dacht Angelo. *We're getting somewhere.*

'In elk geval: goede reis.'

Angelo kreeg een hand, en zag ijsbergen afbreken van de Hubbard-gletsjer: witte hompen zo hoog als torenflats, die vierhonderd jaar onderweg waren geweest, millimeter per millimeter de helling af schuivend naar de kust, voor ze in de oceaan plonsden en boten vol toeschouwers lieten dansen in het schuimende sop.

'En kijk een beetje uit waar je je voeten zet,' zei de chef. 'Je ecologische voet, weet je wel? Onze aarde moet nog een tijdje mee.'

Angelo zag het rode embleem op zijn badge. Hetzelfde embleem dat hij daarnet, samen met zijn stofjas, had ingeleverd.

BRAVO, las hij.

25

'Heb me suf gesurft,' zei Reinoud. 'Je denkt: dat varkentje was ik wel even. Dit is de eenentwintigste eeuw. Geen potje dat niet ontsloten kan worden. Google en Co, weet je wel. Facebook. Maar dat viel dus tegen.'

Hij was zich bewust van zijn licht struikelende tong. Vond het een goed teken dát hij dit registreerde. Dacht aan wat hij allemaal gelezen had, daarnet, in de gang naar de toiletten, waar Adriaan zilveren kadertjes aan de muur had hangen met quotes over drank en dronkenschap. IK DRINK OM ANDERE MENSEN INTERESSANTER TE MAKEN (Hemingway). DRANK MAAKT GEIL, MAAR VERLAMT DE PIJL (Poortwachter Macbeth). JE BENT NOG NIET DRONKEN ALS JE NOG OP DE VLOER KUNT LIGGEN ZONDER JE VAST TE HOUDEN (Dean Martin).

Die poortwachter had Adriaan wat bijgestuurd, wist hij. Voor het rijm.

'Mary Ann dus,' zei Adriaan.

'Ja.'

'Ik herinner me dat liedje ook. Vaag. Beetje van voor mijn tijd.'

Reinoud nam een slok.

'Marianne gruwde ervan,' zei hij. 'Heb het ooit voor haar gekocht, in een dwaze bui.'

'Die hebben we allemaal. Gelukkig. Stel je voor dat de wereld alleen uit wijze mensen bestond.'

Adriaans 'wijze' klonk zoals het enkel uit een Gentse mond kon klinken. Wijs. Reinoud glimlachte.

'Die Hollanders kennen niet eens Engels, zei ze. Schrijven "Marian", maar zingen "Mary Ann". Palingengels.'

'Palingengels?'

'Ja. Zoals in: palingsound? De school van Volendam. Eén regel vond ze wel geslaagd. *What kind of music fills your head now, my love. What kind of grapes became your wine.*'

'Dat zijn er twee. En je zingt vals, maat. Hier: smeren.'

Adriaan vulde Reinouds amaretto bij. Reinoud had hem verteld dat hij in de stad bleef slapen, bij vrienden. Wat hij best wel wilde doen. Alleen: welke vrienden?

'Dat vond ze erg poëtisch: *What kind of grapes became your wine.*'

'Welke druiven werden je wijn?'

'Zoiets.'

'Palingpoëzie.'

'Vertalen is vermoorden.'

'Of euthanasie.'

Ik zou best hier willen slapen, dacht Reinoud. Adriaan is een vriend. De Groene Hoed is een plek voor vrienden. Een warme, luimige plek. Zoet, zoals de chartreuse daar achter zijn kale kop.

'Dus je staat nog nergens?' vroeg Adriaan.

'Zo goed als.'

'Niet opgeven. Niet plooien.'

'Doe ik niet. Probleem: Theofiel, die oom bij wie opa Louis terechtkwam...'

'De kersenkweker.'

'Precies. Die had zelf geen kinderen. Stierf in 1950, weduwnaar, en toen is zijn farm in Brentwood verkocht. Intussen is het een residentiële wijk.'

Reinoud had er rondgewandeld, aan de hand van Google Earth. Zich voorgesteld hoe hij, in plaats van de weelderige villa's en plantsoenen, zwaarbeladen boomkruinen zag passeren, de ene lommerrijke rij na de andere, doorbuigend onder het gewicht van dichte trossen reine hortenses, terwijl vliegen en wespen om zijn voeten wolkten.

'Dus zoveel weet je toch al.'

'Inderdaad: dat ik niets weet. Geen enkele directe bron om aan te spreken. Tenzij Theofiels schoonfamilie. Maar meer dan dat zijn vrouw van Los Angeles kwam en Martinez heette heb ik nog niet kunnen uitvissen.'

'Kun je niet bellen? Naar overheden, archieven?'

'Gedaan, maar die zijn niet erg geneigd je werk in jouw plaats te doen. Je vindt natuurlijk een heleboel op internet. Al zijn de Public Records van Brentwood niet allemaal gedigitaliseerd.'

'Wie zegt overigens dat ze daar geboren werd?'

'Niemand. Heb de hele East Bay geprobeerd. Concord, Antioch, San Francisco zelf. The Office of Vital Records. Maar wat kun je beginnen zonder familienaam? Enig idee hoeveel Mary Anns er op 4 februari 1939 in Californië het licht zouden kunnen hebben gezien?'

'Misschien is ze niet eens aangegeven.'

Reinoud keek op.

'Daar ga ik wel van uit,' zei hij.

'Er is hier onlangs weer een baby bij het huisvuil gezet. In Sint-Amands, geloof ik, bij Antwerpen.'

'Jezus.'

Adriaans hoofd maakte wel vaker wilde sprongen. De macabere repliek deed Reinoud opeens beseffen hoe reëel Mary Ann de voorbije weken voor hem geworden was. Hoe dicht ze bij hem was komen te staan. Elke minuut van zijn speurtocht: stukje bij beetje had hij haar gevormd, haar een lichaam gegeven. Als hij in bed kroop en zijn ogen sloot, kon hij haar gestalte onderscheiden, de trekken van haar gezicht. Hij zag haar in een schommelstoel, in de schaduw van een houten veranda, ergens in een streek waar de zon altijd schijnt en het heerlijk was om drieënzeventig jaar te zijn. Kleinkinderen brachten haar een kop koffie, op Thanksgiving kreeg ze een ereplaats aan de familietafel. Boven de schouw hing een portret van haar eigen ouders. (Wie van die twee was Louis' liefdeskind? Haar vader, haar moeder? Kende Mary Ann zelf de lijnen van haar afkomst? Of was haar een rad voor de ogen gedraaid? Had haar vader/moeder zelf ooit geweten dat zijn/haar werkelijke vader een continent oostwaarts de Vlaamse bodem bewerkte, nadat hij de Europese oorlog had doorgebracht onder Amerikaanse kersenbloesems?)

Op zulke momenten, net voor hij in slaap viel, fantaseerde Reinoud over een app die in plaats van naar een ster op een foto gericht kon worden, waarna de hele voorgeschiedenis van de persoon in kwestie op het scherm verscheen, met naam en toenaam van alle voorvaders en -moeders, helemaal tot de eerste Homo savanniensis die zich, zoveel miljoen jaar geleden, op zijn Afrikaanse achterpoten hees en zei: Mooi, vanaf nu doen we het zo.

Hij keek om zich heen, naar de andere klanten in de schaars bevolkte gelagzaal. Hoorde in het gemurmel van hun gesprekken de ruis van miljarden stemmen – elk woord dat al over de aardbol had weerklonken sedert de mens aan zijn opmars begon. Allemaal familie, allemaal verbonden door dezelfde dubbelspiraaltjes in hun cellen, brugjes van eiwitten en zuren, van hier naar China, van nu naar de steentijd.

'Mijn broer doet ook aan stamboomkunde,' zei Adriaan. 'Kost hem handenvol geld. En straks zijn relatie. Nooit thuis, altijd rondscharrelend op de zolder van een of ander pastorietje of gemeentehuis.'

Relaties, dacht Reinoud. De mijne is nooit beter geweest. En terwijl hij het dacht, besefte hij hoe waar het was. Hoe Marianne, met het verstrijken der jaren, elk moment meer aanwezig leek te worden. Toezicht hield, gedachten en handelingen coachte, zoals ze het indertijd deed met *Promenade*-redacteurs. Hier wat minder blabla, daar een goede baseline, verzorg je spelling, check je bronnen.

Hij wou er iets over zeggen tegen Adriaan. Maar Adriaan verdween om een bestelling op te nemen.

Reinoud dronk zijn amaretto, met tintelende lippen. Genoot van de warmte die als een reflux terugsloeg uit zijn maag. Maar zijn blaas liet zich voelen. Hij herinnerde zich zijn prostaat, de kort aangebonden stuitbewoner die sedert Nieuwjaar kuren had gekregen. Gleed van zijn kruk, bang voor een ouverture die in zijn slip belandde, wat al eens was gebeurd.

Hij haalde het.

Zijn vingers dropen toen hij uit de klapdeurtjes kwam.

EEN ALCOHOLISCHE TRANCE IS NIET GEWOON

MAAR EEN MIST, ALSOF OOK JE OGEN NIET GESCHOREN ZIJN. HET IS NIET SLECHTS EEN GESUIS IN JE OREN, EEN DUIZELIGHEID, EEN VERLIES VAN EVENWICHT. JE KOMT WEER IN DE TUIN VAN JE KINDERTIJD, ALS DE ZACHTMOEDIGE DIEREN GEVOERD WORDEN EN ER OP DE HELE WERELD ALLEEN MAAR SPEELGOED IS (William H. Gass).

Adriaan stond sinaasappels te persen. De machine kreunde.

'Kan een drupje olie gebruiken,' zei Reinoud. 'En je handdroger is kapot.'

Hij reikte naar de rol keukenpapier naast de pers, trok een vel af.

Adriaan vloekte, veegde pulp af aan zijn paarsgerande tuniek.

'Alweer?' zei hij. 'Dat is al de derde keer. Japanse *roumel.* Zal er straks naar kijken.'

Reinoud droogde zijn vingers, schoof op zijn kruk. Adriaan greep een likeurfles die iets had van een boeddhistisch schrijn. De vierkante dop knisperde tijdens het losschroeven. Reinoud keek toe hoe de cocktail vorm kreeg: sap, likeur, grenadine, ijs. Adriaan schudde dat zijn snor ervan trilde, duwde een schijfje sinaasappel op de rand van het glas. Hij zuchtte, veegde een druppel van zijn voorhoofd.

'Dat mensen dit lekker vinden...'

Het was warm in de Groene Hoed. Adriaan zette de cocktail op een dienblad, keek op zijn bestelboekje, begon een pils te tappen.

'Waarom ga je d'r niet naartoe?' vroeg hij, terwijl hij de schuimkraag effen streek.

'Waar?'

'San Francisco. De zaak ter plaatse bekijken? Je hebt de tijd, het geld.'

Reinoud grinnikte.

'Ons geld,' zei Adriaan, 'van onze belastingen. Wij, de werkende mens. Die jouw pensioen betalen.'

'Brugpensioen,' zei Reinoud.

'Evengoed: óns geld.'

'Plus dat van mijn werkgever.'

'Ex-werkgever. Je werkt niet meer.'

'Straks noem je me nog profiteur.'

'Daag me niet uit.'

'Mongool.'

Adriaan schoot in een luide lach, die overging in een hoestbui. Marianne had vaak gezegd dat ze mannen maar om één ding benijdde: het vermogen elkaar met scheldwoorden hun liefde te verklaren. Adriaan diepte een zakdoek op.

'Ik herhaal: óns geld,' zei hij, zijn lippen bettend. 'Dus hoor je te luisteren. Je moet naar San Francisco, oké?'

Reinoud knikte.

'Oké,' zei hij.

Het kerkhof was helemaal verlaten.

Hier rust.

'Het is volop lente,' zei Reinoud.

Hij verzweeg dat hij een kater had. Hij nam een wit blikken doosje uit zijn zak, met het blauwe logo van zijn bank op het deksel. Hij klikte het open. Een vage restgeur van pepermunt. Hij hurkte en met de zijkant van zijn hand schraapte hij wat aarde uit het perk voor de grafsteen. Zijn vuist als zandloper gebruikend, liet hij de aarde langzaam in het lege doosje stromen.

Hij legde haar uit dat ze samen naar San Francisco gingen. Spoedig.

'Het moet,' zei hij.

Hij klikte het blikje dicht, veegde het schoon.

'Ik weet niet hoeveel van jou ik nu mee heb,' zei hij, 'maar wellicht toch iets. Jouw flair voor netwerken kennende, kan ik me niet voorstellen dat je al die jaren netjes in je kist bent gebleven.'

Hij bekeek de grond rond het graf, het onkruid dat overal opschoot, het gras.

'Heb ik altijd in je bewonderd: hoe snel je de omgeving inpalmde.'

Hij draaide het doosje keurend rond in zijn hand, stopte het in zijn zak.

'Een rol naast Kidman kan ik je niet beloven,' zei hij. 'Maar het wordt wel een hoofdrol. In onze film.'

Ze vroeg hoe die heette. Hij duwde zich overeind.

'*Op zoek naar het kersenkind*,' zei hij.

Ze vond het een melige titel.

26

Het was makkelijk.

Ze bekeek haar agenda en prikte een datum.

Juni had veel gaten.

Ze ging internet op en boekte de vlucht.

Dezelfde avond werd ze dronken, drukte in een donkere kerk haar wang tegen het koele marmer van een zuil. Ze probeerde zich te herinneren waar ze allemaal was geweest, en met wie. Probeerde in de geluiden op straat de klank van haar stad te herkennen.

Suizende oren, als de zee in de herfst.

Ze knielde op een lage stoel met een rieten zitting, tot haar knieën pijn deden. Ze keerde zich om, viel bijna. Ze bleef zitten, staarde in het duister naar vage vormen en silhouetten, waarin ze huilende heiligen zag. Of zocht.

Veel later kwam ze thuis, ontnuchterd door een bakje friet bij het station.

Vet, koolhydraten.

Ze nam de schade op. Die viel mee, besloot ze.

De lege Baileys-fles schoof ze in de mand onder het aanrecht.

Een douche, thee. Ze checkte haar mail. Bevestiging van Connections. Ze dacht aan haar laatste vliegreis: congres in Sint-Petersburg. Hoe ze door een staking bij de spoorweg bijna de check-in had gemist. In haar werkkamer rommelde ze in kasten en laden, op zoek naar haar reispas. Voor ze er erg in had, zat er een doosje van gemarmerd karton in haar hand. Ze fronste. Toen glimlachte ze, klikte het deksel open. Oude geuren in haar neusgaten. Of haar hoofd. De lavendel van haar meisjeskamer, de hijgende walm uit de bek van Zorro, de belegen lucht in de mantelplooien van tante Rebecca. Ze hoorde gelui van klokken, zingende kinderstemmen, geruis van nieuwe jurkjes. Haar vingertop liep langs de blauwe fluwelen bekleding, ze nam het armbandje eruit. Ze tilde het in de hoogte, liet het gouden kruisje slingeren voor haar ogen, aandachtig turend, als pendelde ze over de toekomst der dingen.

Toen schoot het haar te binnen: de reispas lag in een archiefkast op de hogeschool, in haar bureau.

Ze borg het kruisje weer op, zette het doosje terug.

Ze vergat de thee, kroop in bed.

27

'*There are eight emergency exits*,' zei de stem in de intercom.

Er verscheen een plattegrond op het schermpje, maar Angelo keek liever naar de stewardess. Die wees met gespreide armen waar die uitgangen te vinden waren: vooraan, achteraan, bij de vleugels, een beetje overal. Het leek of ze een schoolslag demonstreerde. Of zelf probeerde te vliegen. Angelo's geest flitste, tegen zijn wil in, naar een oud filmpje uit het Parijs van de belle époque, in onzeker, met sneeuw doorschoten zwart-wit. Eerste platform van de Eiffeltoren: een man met een enorme pet en imposante snor staat op een kruk boven op een tafeltje bij de balustrade. Een lanceerinrichting, zo blijkt. Hij gaat schuil in een soort parachute-installatie, die hij rond zijn nette stadskledij heeft geconstrueerd. Witte boord, kniebroek, glimmende schoenen. De parachute is zijn eigen, hoogstpersoonlijke uitvinding, en hij zal die zo meteen urbi et orbi showen, want samen met een meute Parijzenaars en krantenreporters is ook het nieuwe medium van de bewegende beelden op het evenement af gekomen. De camera's draaien, zowel op het platform als op de landingszone, zestig meter dieper. Zijn valscherm lijkt op een halfafgebroken tent of baldakijn. De man maakt er wat onbestemde bewegingen mee, die een laatste controle moeten suggereren, maar die enkel bewijzen wat de toeschouwer allang doorheeft: dit zweeftuig is niets anders dan een lukraak samengenaaide hoop vodden waarvan alles mag worden verwacht, behalve dat ze straks voldoende lift zullen produceren om hun drager veilig naar de grond te begeleiden. De hardbevroren, winterse grond van de hoofdstad. Het is vroege ochtend, Parijs ontwaakt, de adem van Ikaros wolkt in neveltjes rond zijn hoofd.

Angelo herinnerde zich haarfijn de eerste keer dat hij het filmpje zag (later zou hij het weer opzoeken op YouTube) en hoe hij had gehuiverd: zo duidelijk was het drama voelbaar, zo duidelijk de naderende catastrofe. Zo zichtbaar ook, in de lichaamstaal van deze stakker, de groeiende onzekerheid, het dagende besef dat hij de waanzin aan het organiseren is: volle veertig seconden verstrijken tussen het moment waarop hij één tastende voet op de balustrade zet, en zijn afsprong. Veertig seconden waarin hij voorwaarts balanceert, achterwaarts, voorwaarts, achterwaarts, als een kind met watervrees op de duikplank. Veertig seconden gependel tussen dood, leven, dood, leven.

'If cabin visibility is poor, emergency floor lights will guide you to the exits.'

En uiteindelijk springt hij.

Wat zou er gebeurd zijn, vroeg Angelo zich af, mochten de camera's niet gedraaid hebben? Mochten de fotografen er niet zijn geweest, de lawaaierige, door agenten op afstand gehouden menigte? Niets. Wellicht zou de man al na twee seconden tot bezinning zijn gekomen ('*Mon Dieu, qu'est-ce qui me prend?*'), vlug uit zijn tuigage geklommen en van de tafel gestapt. Maar nu kon hij niet meer terug.

Te veel ogen, echte en mechanische. Dus zette hij af. En sloeg een krater van vijftien centimeter: het werd aan het einde van het filmpje keurig opgemeten door een toeschouwer met een stokje. Angelo zag het filmpje voor het eerst als student, kort nadat ze in *Geschiedenis van de wijsbegeerte* de filosofische implicaties van de kwantummechanica hadden bestudeerd. Fysische werkelijkheid, niet langer absoluut en meetbaar, maar bepaald door de waarnemer. In dat opzicht was ook deze doodsprong een kwantumsprong, vond hij. Een gebeurtenis gecreëerd door de toeschouwer, in plaats van de actor. De man was niet over de rand gestapt, hij was geduwd. En op nog een ander, historisch niveau, had hij uitgelegd aan Marloes, was het drama een microvoorafschaduwing van wat zich kort daarna op macroniveau zou voltrekken. Even fataal, even absurd het gevolg van een door perceptiedruk op gang gekomen dynamiek, die, eenmaal in beweging, niet meer te stoppen was: de doodsprong van de internationale mogendheden in de kloof van de Eerste Wereldoorlog.

'*Please take a moment to locate your nearest exit. And remember: it might be behind you.*'

Marloes had het allemaal met bewondering aangehoord, gezegd dat hij daarover moest schrijven. Voor het faculteitsblad. Dat had hij ook geprobeerd, twee alinea's lang. Toen was er iets tussen gekomen. Een pijnlijke nek of zo.

'Boilers afgezet?' vroeg Tonia.

'Ja.'

'Ook in de keuken?'

'Ja.'

'Poetsdienst verwittigd? Amina ge-sms't?'

'Ja.'

'Ze weet waar de sleutels hangen?'

'Ja.'

'Je bent een schat.'

'Jij ook.'

Hij nam haar hand vast, boog zijwaarts, kuste haar wang. De zachte, maternale wang.

In het raampje schoof, onder de schommelende vleugel, een blauw-rood vliegtuig langs. Een kleurencombinatie die fel afstak tegen de grijze Londense lucht en hem niet beviel. Ook de propellers leken niet meer van deze tijd. Hij draaide zich weer naar de andere kant. Naast hem, aan de overzijde van het gangpad, zat de man die hij daarnet had geholpen. Hij las *De Standaard.* Of Angelo zo vriendelijk wilde zijn zijn koffertje in de locker te tillen, had hij gevraagd, in het Engels. '*Problems with my back.*' En hij had een hand in zijn lende gelegd. Met veel plezier, had Angelo gezegd, in het Nederlands. Hij had de man in Brussel al gezien, aanschuivend in de rij naast hem voor de bagagecontrole. De man (zestig?) had verrast gereageerd. Ach zo, Belg? Ja. Ook naar San Francisco? Ja. Waar anders, op deze rechtstreekse vlucht? De man had iets kwetsbaars, niet zozeer in zijn torso als wel in zijn blik. Ogen van Munch. In zijn dankjewel waaide een lichte, zoete alcohollucht mee.

Ik heb een goede daad verricht, dacht Angelo.

'*If cabin pressure is lost, oxygen masks will drop from the panel above you.*'

Niemand van de passagiers leek ook maar in de verste verte geïnteresseerd in de instructies. Nochtans wilden ze allemaal, stelde hij zich voor, San Francisco halen. Het koppel voor hem – hij zag het door de spleet tussen de stoelen – zat hand in hand. Een okerkleurige en een blanke hand. Haar (blanke) duim ging zacht strelend heen en weer over de zwaar behaarde rug van zijn middel- en ringvinger.

'Always put on your own mask before helping others.'

Angelo keek even op naar het paneel waaruit de maskers desgevallend zouden neerdalen. Vroeg zich af of straks op de Arctic Explorer, met zijn tien restaurants, zijn zonnedekken, zijn door Ralph Lauren Home ingerichte suites, ook zoveel veiligheidspraatjes te doorworstelen zouden zijn. Hij kon het nog altijd niet goed geloven: dat hij, met zijn vijfentwintig jaar, nu al begonnen was aan het soort reis dat velen reserveerden voor hun levensavond. Op bedevaart naar het noorden. *Ein nordischer Pilger.* Dankzij Tonia. Die hij had leren kennen dankzij Marloes. Die hij had leren kennen dankzij oom Neel. Die hij had leren kennen dankzij zijn ouders. Hun afwezigheid. Waren zij aanwezig geweest, dan was oom Neel er niet geweest. En buurmeisje Marloes niet. Die hem de bons niet had kunnen geven, waardoor hij pizzabesteller werd en Tonia leerde kennen. En was hij nooit op weg geweest naar Alaska.

Dank u mama, dank u papa.

Hij keek het vliegtuig door. Al die hoofden, al die mensen met hun eigen redenen om hier te zijn. Al die voorgeschiedenissen, die allemaal naar hetzelfde punt hadden geleid: een krap zitje in een 747, taxiënd over het tarmac van Heathrow. Gedoemd de volgende elf uur in dezelfde metalen pijp door te brengen, dezelfde lucht te ademen, dezelfde geluiden te horen, hetzelfde voer te eten. Hij kreeg zin het hun allemaal te gaan vragen: waarom bent u hier? Van stoel tot stoel: waarom bent u niet in Rusland, Singapore, op Schiermonnikoog? Een inventaris van levenstrajecten, zoals hij in DiscountShop Bravo de rekken moest aflopen, palmtop in de hand om te checken hoeveel dozen Dash er nog waren.

Het afscheid van de chef schoot hem te binnen. En dat hij vergeten was eindelijk eens te vragen waarom ze DiscountShop als één woord spelden, met een hoofdletter in het midden. Dat had hij zichzelf beloofd. Een laatste statement om te bewijzen dat hij wel degelijk oog had voor puntjes op de i.

De handen in de stoelenspleet lieten elkaar los. Boven de leuning verrees het hoofd van een man, die zich moeizaam overeind wrong om in zijn achterzak te kunnen tasten, daarbij zijn lichaam half naar Angelo draaiend. Jonge dertiger, schatte Angelo. Noord-Afrikaans. Borende ogen, niet te temmen baardschaduw. Dreigend knap, zo zou het in boekjes omschreven worden. Waarom was hij hier? Een moedjahied? Met een bijzondere missie VS-waarts gestuurd door Allah? Heette hij Mohammed? Maar het enige wat hij opdiepte was een pakje zakdoekjes. Hij trok er eentje uit, reikte het de vrouw naast hem aan, ging weer zitten. Er klonken snuitgeluiden. Daarna sloten hun handen zich opnieuw om elkaar.

'*Life vests are located under your seat.*'

De stewardess was jong en mooi. Popperig in haar uniform. Met een vlot, opgestoken kapsel onder een zwierig hoedje. Gedroomd gezelschap om reddingsvestjes mee op te blazen.

'*Adjust the straps loosely around your waist.*'

De man met de slechte rug vouwde zijn krant dicht, stopte die in het netje van de leuning voor hem. Hij opende zijn buideltas, nam er een wit doosje uit. Lichtblauw letterlogo. Pepermuntblikje, zo te zien. Last van oorpijn bij opstijgen, dacht Angelo. Heb ik niet. Nooit ziek geweest in een vliegtuig. Op een schip? Dat moest hij afwachten. Tonia was er wel gevoelig voor. Had een voorraad pillen mee om tweemaal de wereld rond te zeilen.

Lieve Tonia.

Er zat een elastiekje om het doosje. Niet handig. Maar de man liet het zitten. Hij bekeek het doosje alleen maar, schijnbaar checkend of het nog goed sloot. Nam er niets uit, draaide het slechts even om. Rook eraan. Toen stopte hij het terug in de tas. Met een soort glimlach. Alsof hij vooruitzag naar iets prettigs.

Wat wachtte hem in San Francisco waar hij een frisse adem bij nodig had?

In de stoelscheiding voor Angelo boog de vrouw zich naar Mohammed toe. Jonge vrouw, niet onknap. Beetje wit om de neus, alsof ze pas ziek was geweest. Blond kapsel. Niet strak opgeknipt, zoals bij Thaïs, maar een paardenstaart. Roze jasje. Allemaal zeer inwisselbaar. Ze legde haar rechterhand boven op die van de man, die in haar linkerhand verstrengeld zat. Angelo zag een dunne armband om haar pols, met een gouden kruisje eraan. Lang geleden dat hij nog zo'n sieraad gezien had. Als hij er ooit een had gezien. Vliegangst? Ze kusten elkaar op de mond, lang. Geen Frans gedoe, maar wel intiem, geconcentreerd, met de ogen dicht. Angelo keek toe, meer gefascineerd dan gegeneerd: naar de ingehaakte lippen, deze kortstondige istmus tussen Maghreb en Avondland. En opeens liep er een traan over de wang van de vrouw. Ze trok zich terug, keek de man aan. 'Het spijt me,' zei ze. Angelo las het meer af dan dat hij het hoorde. Maar hij was er zeker van. Het spijt me. Ook landgenoten dus. De man glimlachte, trok zijn gezicht in een sussende denk-er-niet-meer-aan-plooi. Toen verdwenen hun hoofden achter hun stoelen.

'*We will soon be airborne. Be sure your seat is upright and all luggage is properly stowed.*'

Angelo checkte zijn gordel, sloot de ogen. Het spijt me. Wat kon dat zijn? Wat was de bron van haar tranen? Het maakte niets uit, maar toch intrigeerde het hem: waarover had de vrouw berouw? Ruziegemaakt bij het vertrek? Over de kinderen? Over iets wat ze vergeten was? Deed er niet toe. Wat hij gezien had was mooi. Verzoening. Het voegde, na zijn eigen goede daad, nog meer zin toe aan deze reis. Alles ging opperbest. Mensen hielpen elkaar. Fouten werden uitgewist.

'*And remember: all phones and electronic devices should be turned off.*'

'Oeps,' zei Tonia, en ze dook in de tas met hun spullen.

Dat was het goede aan fouten: je kon ze herstellen. Telefoons nog niet afgezet? Vlug even doen. Hoewel dat niet altijd hoefde. Hij sloot zijn ogen weer, zag de keukenmuur van zijn appartement in spe. Het Dalí-citaat: gele letters, onder een vlies van Bulgaars stof. 'Vergissingen zijn altijd van sacrale aard. Probeer ze niet recht te zetten. Begrijp ze. Daarna kun je sublimeren.' Hij glimlachte. Die Salvador – geniale, ongebochelde nar. Hij had gelijk. Er zit altijd systeem in de waanzin. Fouten zorgden voor zuurstof. Voor de adrenaline die mensen samenhield, tot communicatie dwong, voor het uiteindelijke genoegen, als de ether was uitgeknetterd, weer een stap verder te staan. Zonder fouten geen leefbare planeet. Geen evolutie, geen biologie. Het was fout doorgegeven DNA dat ervoor had gezorgd dat we ogen hadden ontwikkeld, een neus, geslachtsorganen. Dat we waren wie we waren. Bont en boeiend. Samen met broeder Eland en zuster Lelietje-van-dalen, met maan en zon. Zonder fouten geen hersens, geen seks, geen muziek. Zonder fouten de ultieme stilstand, de kosmische herhaling en eindeloze verveling. Het leven was, godzijdank, één grote vergissing.

Tonia tikte hem aan. Hield hem zijn mobieltje voor.

Hij zag de woorden in het schermpje: *Hou van je, hou van je, sorry...*

Ze had nog even willen checken of hij Amina wel verwittigd had, zei ze.

Hij knikte.

'En dit?'

Ze tikte tegen het display, tilde de telefoon tot bij zijn neus, zodat de tekst zijn hele gezichtsveld vulde.

'Ik leg het dadelijk uit,' zei hij.

Er kraakte iets, in de buik van het vliegtuig. Als ijs dat – eindelijk – de zee bereikt.

Eerder verschenen boeken van Guido van Heulendonk bij De Arbeiderspers:

De vooravond (1994)
Paarden zijn ook varkens (1995)
Aimez vous les moules? (1998)
Buiten de wereld (2000)
Terug naar Killary Harbour (2004)
Barnsteen (2010)